ENRIQUE A. EGUIARTE, OAR

EL AMOR LO VENCE TODO

Veinte textos de san Pablo meditados por san Agustín

Diseño de portada: DCG Ma. del Carmen Gómez Noguez

"AL SERVICIO DE LA VERDAD EN LA CARIDAD"
Paulinos, Provincia México

Primera edición, 2012
3ª edición, 2017

Calz. Taxqueña 1792, Deleg. Coyoacán, 04250, México, D.F.
www.sanpablo.com.mx

Impreso y hecho en México
Printed and made in Mexico

ISBN: 978-607-714-014-6

INTRODUCCIÓN

En la solución de esta cuestión
me esforcé por sostener el libre albedrío
de la voluntad humana,
pero ha vencido la gracia de Dios
(Retr. 2, 1, 1)

San Agustín fue un gran conocedor de las Sagradas Escrituras. Para él eran las cartas que Dios Padre, que está en la Patria, en el cielo, nos dirige a nosotros sus hijos que peregrinamos en esta tierra lejos de Él, pero con el deseo de llegar a ese lugar donde se encuentra (*en. Ps.* 64, 2).

La Biblia era su alimento cotidiano, aunque en un primer momento, antes de su conversión, san Agustín no comprendiera las Sagradas Escrituras y las rechazara por su forma burda y por la falta de elegancia, al compararlas con los escritos de los autores clásicos que conocía. Posteriormente, una vez convertido, se dará cuenta de su error y reconocerá que lo que le cegaba era la soberbia y que la Sagrada Escritura es como una casa que tiene la puerta muy baja, que es preciso inclinar la cabeza para poder entrar en ella (*Conf.* 3, 9). Quien es soberbio nunca podrá comprender las Escrituras. Sólo quien es humilde y entra en la "casa de la Biblia" con la cabeza inclinada reconociendo su pequeñez y la grandeza de Dios, es quien verdaderamente podrá entenderla y sacar fruto de ella.

La Biblia llegó a ser un libro tan importante para san Agustín, que todas sus obras están llenas de citas bíblicas, hasta tal punto que si algún día llegaran a desaparecer todas las Biblias del mundo, gran parte del texto bíblico podría ser reconstruido a partir de las mismas obras de san Agustín.

Entre los libros bíblicos, las cartas de san Pablo formaron un *corpus* que marcó de manera definitiva la espiritualidad y el pensamiento agustiniano. No sólo fue un texto paulino (Rm 13, 13) el que marcó su conversión, como él mismo nos lo refiere en las *Confesiones* (*Conf.* 8, 29), sino que las cartas de san Pablo se convertirían para el monje san Agustín, pero sobre todo para el monje-obispo san Agustín, en sus compañeras de camino, con las cuales profundizaría en el misterio de Dios e iría comprendiendo el mismo dogma cristiano. Las cartas de san Pablo fueron con las que san Agustín, el Obispo de Hipona, fue paulatinamente profundizando en el mensaje cristiano y comprendiendo cada vez más la insondable riqueza del misterio de Cristo.

La presente obra pretende ser una pequeña muestra de cómo san Agustín vivió e interpretó algunos textos de san Pablo y, al mismo tiempo, una invitación a leer estos mismos textos con san Agustín, a meditar y hacer vida de sus enseñanzas espirituales.

De este modo ofrezco en los diversos apartados de este libro, en primer lugar, el texto paulino en cuestión y después alguna reflexión agustiniana en torno al mismo. A continuación presento las mismas palabras de san Agustín, como una invitación a conocer de primera mano el pensamiento de este gran Padre de la Iglesia. Finalmente propongo una serie de preguntas que pueden ayudar a la reflexión y a la meditación, cerrando cada uno de los apartados con una frase agustiniana que pretende ser un resumen de todo lo abordado en el capítulo.

El propósito es que esta obra se convierta en una herramienta que ayude a la oración cotidiana de todo cristiano. Los textos de la Palabra de Dios deben ser nuestro alimento espiritual cotidiano como lo eran para san Agustín. Por ello, la presente obra es una valiosa herramienta para encontrarse con la Palabra de Dios, o mejor dicho para dejarse encontrar por ella, y meditarla de la mano de uno de sus mejores conocedores: san Agustín.

Por otra parte, puede ser una excelente herramienta para conocer más la vida y el pensamiento de san Agustín, ya que los textos paulinos recorren de manera tangencial las elucubraciones teológicas agustinianas y son una excelente muestra de la evolución de su pensamiento, de su doctrina y de su teología. Definitivamente, creo que esta obra puede ser un medio útil que ayude a la reflexión cotidiana, pues ha sido pensada para ser leída en cualquier circunstancia de la vida, pues los textos propuestos son breves e independientes los unos de los otros, por lo que puede ser leída no necesariamente siguiendo un orden lineal, sino más bien siguiendo un orden de interés personal o espiritual, o rastreando aquellos textos paulinos que puedan ser más significativos para el lector.

Antes de concluir esta introducción, no puedo dejar de mencionar que la presente obra nació como un conjunto de esquemas de retiros para las comunidades agustino-recoletas de la Provincia de san Nicolás de Tolentino. Al terminar los diez breves esquemas que me solicitaron mis hermanos agustinos recoletos, me di cuenta del tesoro que tenía entre mis manos, por lo que me propuse, en los ratos que me dejaba libre la tesis doctoral en Roma, ampliar y enriquecer los diez esquemas que se habían ofrecido a las comunidades, y añadir otros diez para completar la presente edición. Quisiera también agradecer, en primer lugar, a fray Pablo Panedas, OAR, quien me sugirió la idea de los esquemas para los retiros; a fray Carlos González Castellanos, OAR, por ser quien me animó y apoyó incondicionalmente para realizar la presente publicación. Gracias también al padre Salvador Armas y al grupo editorial San Pablo por la confianza que han depositado en mí y en esta obra al elegirla para ser parte de su catálogo. Gracias a mis padres Guillermo y Ada, a mis hermanos y a mis hermanos agustinos recoletos. Finalmente gracias a Dios, quien siempre inspira, sostiene y lleva a término todas nuestras buenas obras.

Mi deseo es que esta breve obra se convierta para ti, lector, en un vademécum, en un libro para ser leído y releído en muchas ocasiones, y que a partir del contacto frecuente con la Palabra de Dios iluminada por las reflexiones agustinianas, brote en ti un amor cada vez más profundo a la Sagrada Escritura y a los escritos de todos los santos Padres, de manera particular a los escritos y a la obra de san Agustín.

Enrique A. Eguiarte, OAR
Nueva York, octubre de 2010

BIOGRAFÍA DE SAN AGUSTÍN

Sus padres, patria y sus primeros estudios

San Agustín nació el 13 de noviembre del año 354 en Tagaste (actualmente Souk-Ahras, Argelia), hijo de Patricio y de santa Mónica,[1] quien desde su más tierna infancia lo llevó a la iglesia para que recibiera "la señal de la cruz", unos granos de sal y diera su nombre para algún día recibir el bautismo.[2] Desde niño mostró una habilidad e inteligencia poco comunes, por lo que sus padres decidieron que una vez que terminara sus estudios en su ciudad natal, bajo la guía del *magister ludi* (el maestro de las primeras letras), fuera a la vecina ciudad de Madaura a continuar su formación. De este modo, haciendo un gran esfuerzo económico lo mandaron a esa ciudad a estudiar gramática (366-369). Terminados sus estudios y gracias a la ayuda de un paisano rico llamado

1. *Uita, I.*
2. *Conf. 1, 17.*

Romaniano, pudo ir a Cartago a estudiar Retórica.[3] Cuando llegó a Cartago tenía 17 años, y se quedó deslumbrado ante el lujo y las pasiones desordenadas que reinaban: era como una sartén en donde crepitaban todos los vicios y pecados.[4] Muy pronto conocería a una mujer, cuyo nombre desconocemos, con quien se unió, sin casarse con ella,[5] y con la que tuvo un hijo a quien pusieron el nombre de Adeodato, que significa "Dado por Dios".[6]

En esta misma época, hacia el año 372-373, leyó una obra de Cicerón llamada *Hortensio*[7] y esta obra trata lo que se ha llamado comúnmente la primera conversión de san Agustín, la conversión al amor y la búsqueda de la sabiduría. Por esas mismas fechas se hace "oyente" o simpatizante de los maniqueos,[8] un grupo de inspiración judeocristiana y gnóstica, con los que permaneció durante nueve años. Después de enseñar gramática y retórica tanto en su ciudad natal de Tagaste (373-374) como en Cartago (374-383), decide emigrar a Roma en busca de nuevos horizontes.[9]

3. *Conf. 2, 5.*
4. *Conf. 3, 1.*
5. *Conf. 4, 2.*
6. *Conf. 9, 14.*
7. *Conf. 3, 7.*
8. *Conf. 3, 10.*
9. *Conf. 5, 15.*

En Roma y Milán

En Roma, después de ejercer el magisterio durante cerca de un año, decidió competir por el puesto de orador oficial y profesor de Retórica de la Corte del emperador romano Valentiniano II, puesto que consiguió en el año 384, san Agustín se desplazó a Milán en el 384 para comenzar su trabajo en la Corte del emperador.[10] En ese momento se encontraba en el punto más alto al que podía aspirar un orador profesional, tenía todo lo que cualquier persona podía pedir y, sin embargo, se sentía vacío, no era feliz, pues no había encontrado la verdad, ni la sabiduría.[11]

Por esa misma época se separó de la mujer anónima que había sido su compañera por casi 15 años, madre de su hijo Adeodato y a quien le había guardado siempre una fidelidad absoluta,[12] san Agustín vivió en esos momentos un duro embate de las pasiones sensuales, encontrando muy difícil el poder vivir en continencia. Con el tiempo supo que sólo se puede vivir la sexualidad según el plan de Dios cuando se descubre que esto es un don del mismo Dios, y que es preciso no sólo esforzarse por alcanzarlo, sino también pedirlo con constancia en la oración, pues es una gracia.[13]

Fue también por aquel tiempo cuando, movido por las palabras de san Ambrosio, obispo de Milán,

10. *Conf. 5, 23.*
11. *Conf. 6, 9.*
12. *Conf. 6, 25.*
13. *Conf. 10, 40.*

san Agustín encontró, en primer lugar, que la verdad que él estaba buscando se encontraba en la Iglesia católica.[14] También descubrió que no había ninguna contradicción entre la fe y la razón. En un primer momento había acudido a escuchar los sermones de san Ambrosio, para conocer las técnicas oratorias que usaba, pues de alguna manera se encontraba en Milán no sólo para pronunciar los discursos oficiales en la Corte del emperador, sino también para ser el orador que, desde las instancias oficiales, se contrapusiera a san Ambrosio; sin embargo san Agustín pasó de admirar las técnicas oratorias de san Ambrosio, a admirar su pensamiento y las verdades cristianas que presentaba. Finalmente, la propia personalidad y santidad de san Ambrosio impresionaron a san Agustín.[15]

Fue entonces que sucedió lo que se ha conocido como la segunda conversión de san Agustín, la conversión a las verdades del cristianismo. Se dio cuenta de que la Verdad que él estaba buscando no era una verdad fría y filosófica, sino que la Verdad tenía un nombre, y éste era el de Jesucristo.[16] Descubrió también que no hay ninguna contradicción entre el pensamiento filosófico y el pensamiento del cristianismo, entre el raciocinio y la fe cristiana.

14. *Conf. 5, 23.*
15. *Conf. 6, 3.*
16. *Conf. 7, 13.*

En ese proceso interior que vivió entre los años 385 y 386, fue ayudado no sólo por san Ambrosio, sino también por un sabio sacerdote de Milán, san Simpliciano,[17] de cuya mano san Agustín leyó con una perspectiva cristiana a diversos autores neoplatónicos, para irse confirmando cada vez más en la autenticidad y riqueza de la fe cristiana. En ese último momento de su conversión definitiva a Cristo le ayudó también el conocer la historia de otros dos convertidos. El primero de ellos fue otro orador, también originario del norte de África, como el mismo san Agustín, llamado Mario Victorino,[18] quien a pesar de su fama y prestigio había renunciado a las glorias mundanas para convertirse al cristianismo. El segundo caso es el de san Antonio del desierto, historia que le es referida a san Agustín por su amigo Ponticiano,[19] quien le cuenta cómo san Antonio decide consagrarse a Dios una vez que escucha y se aplica a sí mismo las palabras del Evangelio: "*Anda, vende todo lo que tienes y después ven y sígueme*" (Mt 19, 21).[20] Ponticiano aprovechó también para contarle el caso de dos funcionarios imperiales quienes, acompañando al emperador a Treveris, encontraron un monasterio y decidieron quedarse a vivir en él, consagrándose a Dios, olvidando sus expectativas mundanas.[21]

17. *Conf. 8, 4.*
18. *Conf. 8, 3.*
19. *Conf. 8, 14.*
20. *Conf. 8, 29.*
21. *Conf. 8, 15.*

Todo esto mueve de tal manera el corazón de san Agustín, quien en una ocasión, al estar meditando estas cosas en un jardín de Milán,[22] sintió fuertemente la llamada de Dios a la conversión, así como el propio dolor de sus pecados pasados; se sentó debajo de un árbol y ahí comenzó a llorar. De pronto escuchó de una casa vecina una voz como de un niño o niña que cantaba una extraña canción. Cuando puso atención en la letra de la canción, ésta le decía: "*Tolle, lege; tolle, lege*" *(Toma y lee, toma y lee).*[23] San Agustín se dio cuenta de que era una voz del cielo que le invitaba a tomar entre sus manos el códice del apóstol Pablo que estaba cerca de él y leerlo: tomó el códice, lo abrió al azar en la primera página que estuvo ante sus ojos, y en ella leyó el texto de la carta a los Romanos (13, 13): "*No en comilonas ni en borracheras, sino revístanse de nuestro Señor Jesucristo*".[24]

San Agustín se dio cuenta de que ésa era una llamada de Dios a la conversión, a dejar su vida anterior de pecado y de alejamiento de Dios, para convertirse definitivamente al Señor. A partir de ese día san Agustín dio su nombre en la iglesia de Milán para prepararse al bautismo,[25] renunció a su trabajo

22. *Conf. 8, 19.*
23. *Conf. 8, 29.*
24. *Conf. 8, 29.*
25. *Conf. 9, 14.*

como orador y profesor de oratoria en la Corte[26] y se retiró cerca de Milán –a Casiciaco– a la finca de su amigo Verecundo. En este lugar le acompañaban su madre, santa Mónica,[27] su entrañable amigo Alipio, su hijo Adeodato, su hermano Navigio, así como sus discípulos Licencio y Trigecio. Ahí escribió las primeras obras que conservamos de san Agustín, llamados *Diálogos de Casiciaco.*

Bautismo y muerte de santa Mónica

San Agustín se bautizó en la Vigilia Pascual del año 387, que siguiendo el calendario de Alejandría entre el 24 y el 25 de abril,[28] Después de su bautismo, no sólo hizo el propósito de vivir una vida de santidad en la Iglesia católica, sino que había decidido también consagrarse a Dios como monje, dando con ello una doble alegría a su madre, quien después de tantas lágrimas[29] y de haber orado tanto por él, por fin lo veía no sólo bautizado, sino también con el deseo de ser siervo de Dios, es decir, monje. Después de estos acontecimientos, san Agustín, junto con sus amigos y su madre habían decidido regresar a su patria, al norte de África. Mientras esperaban poder viajar, estando en la ciudad marítima de Ostia, no lejos de Roma,

26. *Conf. 9, 4.*
27. *Conf. 9, 8.*
28. *Conf. 9, 14.*
29. *Conf. 3, 19.*

san Agustín y santa Mónica vivieron una experiencia mística muy particular: pues mientras conversaban juntos en la casa en la que se hospedaban, sus mentes y corazones se fueron paulatinamente elevando desde las cosas de este mundo hacia las cosas de Dios, y pudieron tocar por un instante el misterio insondable del mismo Dios.[30] Pocos días después de esta experiencia, santa Mónica cayó enferma y murió a la edad de 56 años, pidiéndoles a sus hijos que no se preocuparan por su cuerpo ni dónde la iban a enterrar, sino que siempre la recordaran ante el altar de Dios en la misa.[31]

En el año 388, san Agustín regresó a su patria y fundó en la casa de sus padres lo que sería su primer monasterio, donde comenzó a vivir en comunidad con sus amigos y su propio hijo Adeodato.[32] No obstante, al poco tiempo murió también su hijo. Como un recuerdo de la viva inteligencia del joven Adeodato, san Agustín compuso la obra llamada *De Magistro* (*Sobre el Maestro*),[33] en donde aparece el mismo san Agustín conversando con su hijo y en donde se puede ver su agudo ingenio.

30. *Conf. 9, 24.*
31. *Conf. 9, 28*
32. *Uita, 3.*
33. *Conf. 9, 14.*

San Agustín, sacerdote y obispo

San Agustín tenía el plan de estar toda su vida consagrado a Dios, viviendo en comunidad, trabajando, estudiando, orando y escribiendo.[34] A finales del año 390 emprendió un viaje a Hipona, ciudad situada a unos 100 kilómetros de Tagaste, para entrevistarse con un amigo a quien quería invitar a incorporarse a la vida monástica, y también con el fin de buscar un lugar para construir un monasterio.[35] Sucedió que el obispo de Hipona, el anciano Valerio, en la celebración de la misa explicó a sus fieles su lamentable situación: ya era anciano y no hablaba bien el latín pues era de origen griego, por lo que le pidió a su pueblo que le sugiriera el nombre de alguien para que fuera su ayudante como presbítero. Los ojos de toda la asamblea se posaron sobre san Agustín, a quien ya conocían por su fama de santidad como monje en Tagaste.[36] Éste no se pudo oponer y fue ordenado presbítero el año 391.[37] Conociendo el anciano obispo Valerio el gran amor que tenía san Agustín a la vida monástica le regaló un huerto que era propiedad de la iglesia de Hipona para que en él fundara un monasterio y pudiera, de este modo, verse acompañado por sus hermanos.[38]

34. *Ep.* 10, 2.
35. *S.* 355, 4.
36. *Uita,* 4.
37. *Ep.* 21, 1.
38. *S.* 355, 2.

Fue inmensa e importantísima la labor sacerdotal llevada a cabo por san Agustín en Hipona, ya que no sólo ayudaba a Valerio en la predicación dentro de la celebración de la misa y en la catequesis de los neófitos,[39] sino también en las polémicas con los herejes, quienes nunca pudieron responder a sus argumentos, como le sucedió al hereje maniqueo Fortunato en agosto del 393, quien después de ser derrotado por san Agustín en su enfrentamiento dialéctico, tuvo que abandonar con vergüenza la ciudad de Hipona.[40]

Valerio, temiendo que alguna iglesia que careciera de obispo se lo llevara para ordenarlo obispo, le pidió secretamente al Obispo Primado de Cartago su autorización para que san Agustín fuera ordenado como obispo coadjutor de Hipona.[41] Después de superados algunos ligeros problemas, a causa de ciertas habladurías que se corrían en contra de san Agustín,[42] éste fue ordenado obispo en el año del 395. Muy pronto moriría Valerio y san Agustín sucedería al santo anciano en el cargo.

La lucha contra los maniqueos y donatistas

Como obispo, san Agustín se distinguió en primer lugar por su labor en favor de la unidad de la Iglesia,

39. *Uita,* 5.
40. *Ep.* 79; *uita,* 6; *Retr. 1, 16.*
41. *Uita, 8.*
42. *C. litt. Pet. 3, 16, 19; ep. 38, 2.*

luchando en contra de los maniqueos, secta a la que él había pertenecido.[43] Los escritos antimaniqueos de san Agustín son unos monumentos que nos ayudan en la actualidad para reconstruir el pensamiento y la forma de vivir de este grupo que falsamente se autonombraba "los verdaderos cristianos".

Una segunda lucha de san Agustín fue contra un cisma que dividía la Iglesia de África desde el año 308: el cisma del donatismo.[44] Se trataba de un grupo que había establecido una jerarquía local y que proclamaba que la única Iglesia verdadera y santa era la donatista, es decir, la del norte de África, mientras que la Iglesia católica era una Iglesia pecadora y falsa. San Agustín, incansablemente con su predicación y escritos, exhortó a la unidad a los cismáticos,[45] acentuando que la Iglesia verdadera es la católica, aquella que mantiene la unidad en la caridad, que está difundida por todo el mundo y que se esfuerza por alcanzar la santidad, pero que mientras se encuentre en este mundo será, como el campo del que habla el Evangelio, un lugar en el que haya trigo y cizaña (Mt 13, 25).[46] San Agustín dedicó muchas obras a combatir el donatismo. Posteriormente, el emperador Honorio convocó en el año 411 a la llamada Conferencia de Cartago, en la que los donatistas fueron derrotados por los católicos y donde el representante del

43. *Uita, 6.*
44. *Uita, 9.*
45. *Cfr. ep. 23; 33; 49; 51; 66; 87; 106; 108.*
46. *Doctr. chris.* 3, 45.

Emperador declaró como la única Iglesia verdadera a la Iglesia católica.[47] Si bien es cierto que después del 411, y a pesar de que las normas y disposiciones que emanaron de la Conferencia de Cartago, obligaron a los donatistas a incorporarse a la Iglesia católica; sin embargo, el donatismo siguió existiendo de una manera menos vigorosa y clandestina, incluso después de la muerte de san Agustín.

San Agustín como predicador y juez

Otro de los grandes intereses de san Agustín fue formar a su propio pueblo. Por ello dedicó largas horas a la predicación y a la composición de sus obras. Los especialistas dicen que fueron más de 8 000 los sermones predicados por él, de los que conservamos 600 aproximadamente hasta el día de hoy.

Todas las mañanas, hasta muy avanzada la tarde, san Agustín, siguiendo la costumbre de su época, ejerció el papel de juez,[48] deliberando y decidiendo casos y pleitos,[49] buscando siempre la paz y la aplicación de la ley de la caridad. A su tribunal episcopal (*audientia episcopalis*) acudieron no sólo los católicos, sino también los paganos y los mismos judíos,[50] enterados de su bondad, equidad y honradez.

47. *Uita,* 13.
48. *Uita,* 19.
49. *Epp.* 113-116; 152-154; *ep.* 10*.
50. *Ep. 8*.*

San Agustín, un obispo para los pobres

Su interés por los pobres y los menos favorecidos queda muy claro en todos los escritos de san Agustín. Sabemos por su primer biógrafo, san Posidio, que en una ocasión mandó vender los mismos vasos sagrados de la iglesia de Hipona para ayudar con ese dinero a unas personas que habían sido vendidas como esclavos.[51] También exhortaba continuamente a sus fieles a que fueran generosos con los pobres y que los socorrieran con sus bienes,[52] pues, como él mismo lo decía, él solo no podía remediar todas las necesidades de los más pobres. San Agustín tenía también la costumbre, el día en el que celebraba el aniversario de su consagración episcopal, de dar una comida a los pobres de la ciudad, no a los potentados de Hipona.[53] Se preocupó también de construir un albergue (*xenodochium*) para acoger a los pobres y peregrinos que pasaban por su diócesis, encargando a sus propios monjes que cuidaran de ellos.[54]

San Agustín monje

San Agustín fue un gran amante de la vida monástica y fundó varios monasterios tanto de hombres como

51. *Uita, 24.*
52. *S. 95, 7.*
53. *S. 339, 4.*
54. *S. 356, 10.*

de mujeres; escribió para ellos varias obras, especialmente la *Regla,* en donde en términos generales señala cuál debe ser su tenor de vida y cuáles son los elementos esenciales de la vida monástica según la entendía, siendo el punto fundamental la comunidad unida en la caridad a semejanza de la Trinidad, en donde los hermanos dejan todo lo propio, para no tener sino una sola alma y un solo corazón, dirigidos hacia Dios.[55]

Escribió muchas cartas a diferentes monasterios tanto de hombres como de mujeres[56] para animarlos en su consagración monástica y también para corregir algunos errores, o bien, ponerlos sobre aviso de algunos peligros.[57]

El mismo san Agustín, a pesar de ser el obispo de la ciudad, siguió siendo y viviendo hasta el día de su muerte como un monje más, sin que hubiera ninguna distinción entre él y sus monjes en lo relativo al alimento y al vestido, a no ser, como él mismo lo estipula en la *Regla,* por motivos de salud. Lo único que lo distinguía de sus monjes era el anillo que llevaba en su mano derecha.[58] No como símbolo de poder o de dignidad, sino como un instrumento que le servía para sellar (firmar) sus cartas, documentos y escritos y así evitar falsificaciones.

55. *Reg. 1.*
56. *Ep. 211.*
57. *Ep. 265.*
58. *Ep. 59, 2.*

San Agustín, defensor de la gracia

Su labor en favor de la unidad de la Iglesia y de la pureza de la fe fue enorme. De este modo, san Agustín vivió consagrado en cuerpo y alma al servicio de la Iglesia, defendiéndola de las herejías.[59] En la última parte de su vida, se enfrentó particularmente a dos herejías. En primer lugar, el pelagianismo,[60] que afirmaba, entre otras cosas, que el hombre no necesita de la gracia de Dios para llevar a cabo obras meritorias, pues puede por sus propias fuerzas obrar el bien, y que la misma gracia de Dios se le concede a cada uno con relación a sus obras y no de manera gratuita, cuestiones a las que responde san Agustín en sus obras,[61] tanto contra Pelagio como contra sus seguidores más aguerridos como Juliano de Eclana.[62] Una segunda herejía que afronta de una manera más intensa casi al final de su vida fue la del arrianismo.[63] Los arrianos negaban la divinidad de Jesucristo, y san Agustín respondió a esas ideas por medio de sus obras, en donde partiendo de diversos textos bíblicos demostró la falsedad de aquéllas.[64]

59. *Uita, 18.*
60. *Idem.*
61. *Cfr. ep. 188, 3; 194, 10, 46; gest. Pel. 30, 54-31, 56; c. litt. Pet. 1, 13; haer. 88, 2.*
62. C. *Iul.*
63. *Uita, 17.*
64. C. *Max; conl. Max.*

San Agustín y la ciudad de Dios

San Agustín buscará también en sus obras dar repuesta desde la fe a las diferentes interrogantes y polémicas de su época, como sucedió en el año 410, cuando Roma fue saqueada por los vándalos de Alarico. Quienes sufrieron las consecuencias culparon a la Iglesia católica de esta desgracia. Según los paganos, Roma había caído en manos de los vándalos, ya que por culpa de los cristianos se había abandonado la religión tradicional romana. San Agustín responderá a estas acusaciones con su monumental obra, *La ciudad de Dios*, en donde no sólo hace una interesante reflexión sobre la historia de Roma y del mundo,[65] sino que hace la presentación de las dos ciudades, la de Dios y la del mundo, que caminan juntas mientras dure el tiempo de la historia, pero que al final ambas se separarán pues las diferencia el amor. La ciudad de este mundo se basa en el amor a sí mismo hasta el desprecio de Dios, mientras que la ciudad de Dios se basa en el amor de Dios hasta el desprecio de sí mismo.[66]

San Agustín además de una intensa vida pastoral, fue un obispo que se preocupó de visitar su propia diócesis y de animar a sus fieles a vivir la vida cristiana con santidad.[67] Fue un hombre de una profunda oración. A pesar de la intensísima vida pasto-

65. *Ciu.* 1-10.
66. *Ciu.* 14, 28.
67. *Uita,* 18.

ral que vivía, encontraba siempre tiempo para orar y para dictar sus obras, robándole horas al sueño[68] y manteniendo una lucidez admirable hasta el último día de su vida.[69]

Muerte y posteridad agustiniana

San Agustín murió el 28 de agosto del año 430 en Hipona, mientras la ciudad estaba rodeada por las tropas vándalas. Poco después de la muerte de san Agustín hubo un tiempo de tregua, que fue aprovechado para sacar de Hipona el cuerpo de san Agustín junto con sus obras. Todo ello gracias a su discípulo y primer biógrafo, san Posidio. A partir de ese momento, el cuerpo de san Agustín comenzó un periplo largo, pasando por diversos puntos, entre otros Cerdeña y recalando finalmente, por orden del rey longobardo Liutprando, en la ciudad de Pavía, en donde se conserva hasta el día de hoy. Ahí fue venerado en el año 2007 por el papa Benedicto XVI, quien hizo una "peregrinación personal" para hacerle a san Agustín la entrega simbólica de su primera encíclica, *Deus caritas est* y recordar que el influjo y el pensamiento de san Agustín han guiado siempre su vida como teólogo y pastor de la Iglesia. Por ello en el escudo pontificio de Benedicto XVI aparece una concha, recordan-

68. *Uita*, 24; *ep*. 224.
69. *Uita*, 31.

do la conocida leyenda agustiniana en la que se nos narra que mientras san Agustín escribía su obra *De Trinitate*, salió un día a dar un paseo por la playa, y que a lo lejos vio a un niño que jugaba en la arena y que cogía agua del mar en una concha y la llevaba a un agujerito que había hecho en la misma playa. En vista de que el niño repitió esta acción varias veces, san Agustín se acercó al niño para preguntarle qué estaba haciendo. Y el niño le respondió que él quería meter toda el agua del mar en ese pequeño agujerito. San Agustín sonrió y le dijo que eso era imposible. El niño entonces le respondió: "Es más fácil que yo meta toda el agua del mar en este pequeño agujero, que tú puedas meter en tu cabeza el misterio de la Santísima Trinidad".

La obra de san Agustín

La obra escrita por san Agustín es enorme y muy variada:[70] 40 volúmenes en la edición bilingüe latín-español. San Agustín es sin duda el santo Padre del que conservamos más escritos, pues sus obras fueron muy copiadas y leídas a lo largo de la Edad Media, antes de la llegada de la imprenta. Entre sus obras destaca, en primer lugar, las *Confesiones*, el relato autobiográfico tal vez más famoso de toda la literatura universal. Junto con esta obra hay otras

70. *Uita*, 18.

muchas entre las que podríamos destacar la obra sobre la santísima Trinidad, la así llamada *De Trinitate, La ciudad de Dios,* las *Enarrationes in Psalmos,* que es el único comentario completo a todo el salterio que ha llegado hasta nosotros de los santos Padres. Son también de particular belleza sus comentarios al Evangelio según san Juan, a la carta de san Juan, sus sermones, cartas, sus obras monásticas, filosóficas, polémicas, etcétera.

Por todo ello, san Agustín no sólo es considerado como el modelo y ejemplo de la conversión, sino también como el Doctor de la caridad, por lo mucho que habla y reflexiona sobre el amor de Dios en todos sus escritos. Se le llama también el Doctor de la gracia, pues defiende el papel esencial que la gracia tiene en la vida de todo creyente, sin la cual no se pueden hacer obras agradables a Dios.

Es san Agustín, pues, el más sabio de los santos y también el más santo de los sabios.

Cronología de san Agustín

354. Nace en Tagaste (Souk-Ahras, Argel), hijo de (Patricio y santa Mónica).

366-369. Estudios con un *grammaticus* en Madaura.

369-370. Año de ocio en Tagaste.

370-373. Estudios superiores en Cartago (Réthor). Nacimiento de Adeodato (371/372). Lectura del Hortensio. Es oyente maniqueo.

373-374. Enseña en Tagaste.
374-383. Enseña en Cartago. *De pulchro et apto.*
383. Viaje a Roma.
384. Milán. Orador oficial de la corte de Valentiniano II.
386. *Tolle Lege* y conversión. Retiro a Casiciaco. Escribe los "Diálogos de Casiciaco" (*Contra Academicos, De ordine, beata uita, soliloquia*).
387. Bautismo en Milán (Pascua 24-25 abril). Muerte de santa Mónica en Ostia. Permanece en Roma por la revuelta de M. Máximo. *De musica, De moribus ecclesiae, De immortalitate animae.*
388. Regreso a África. Vida monástica en Tagaste. *De Libero Arbitrio; De Genesi Aduersus Manichaeos; De diuersis quaestionibus 83.*
389. Muerte de Adeodato. *De Magistro. De uera religione.*
391. Ordenado sacerdote en Hipona (Annaba, Argel) (enero). *De Utilitate Credendi; Praeceptum?*
392. Comienza las *Enarrationes in Psalmos* (hasta el 421-22), *Contra Fortunatum.*
393. Concilio de Hipona (octubre). *De fide et symbolo. De Genesi ad Litteram imperfectus; De sermone Domini in Monte; Epistulae ad Romanos inchoata expositio; expositio epistulae ad Galatas; De mendacio.*
395. Ordenado obispo "coadjutor" (verano).
396. *Ad Simpllicianum; De agone christiano; De doctrina Christiana.*
397. Comienza a escribir las *Confesiones*. (Muerte de Ambrosio). *Contra Faustum.*

399. *De cathechizandis rudibus*. Comienza *De Trinitate* (420).

400. Viaje a Constantina. Contacto con obispo donatista Petiliano. *De consensu euangelistarum. De baptismo.*

401. *De bono coniugali, De sancta virginitate; De opere monachorum*. Comienza *De Genesi ad Litteram* (414).

403. Concilio de Cartago. Plan de reunión con los donatistas. Emboscada de los circunceliones contra Agustín.

407. Pascua: Comentarios a la carta de san Juan: *Dilige et quod vis fac*. Comienza el Comentario al Evangelio según san Juan. *Tractatus in Iohannis euangelium* (417).

410. Saqueo de Roma por los vándalos de Alarico.

411. *Conlatio Carthaginensis*. Conferencia de Cartago contra donatistas. Preside conde Marcelino. Comienza la lucha contra el pelagianismo (*De peccatorum meritis*).

412. *De spiritu et littera*. Comienza el *De ciuitate Dei* (426).

413. Ejecución del conde Marcelino en Cartago.

415. Sínodo de Dióspolis. Pelagio es absuelto.

416. Concilio de Cartago y Milevi ratifican la condena contra Pelagio y Celestio.

418. Epistola Tractoria (Papa Zósimo). Condena definitiva de Celestio y Pelagio. Concilio de Cartago. Viaje a Cesarea de Mauritania a enfrentarse con el donatista Emérito de Cesarea. Invierno: comienza la polémica con Juliano de Eclana. *De gratia Christi.*

419. De *nuptis et concupiscentia.*

420-21. Agustín visita a Bonifacio. Termina las *enarrationes in Psalmos.* (Predicando y dictando). *Contra duas epistulas pelagianorum; Contra Iulianum. Contra mendacium.*

422. Procedimientos legales contra Antonino de Fusala. Viaja a Fusala acompañado de Alipio. *Enchiridion ad Lauretium.*

426. Viaja a Milevi a poner paz en la sucesión de Severo de Milevi. Nombra a su propio sucesor, el presbítero Heraclio. Termina el *De ciuitate Dei.* Comienza a escribir las *Retractationes. De gratia et libero arbitrio; De correptione et gratia.*

428. *De praedestinatione sanctorum; De dono perseuerantiae.*

429. Contra *Iulianum opus imperfectum.*

430. Agustín muere el 28 de agosto, al tercer mes del cerco de Hipona por parte de los vándalos.

Abreviaturas de las obras de san Agustín citadas:

b. uid. De bono uiduitatis (Del bien de la viudez).

c. ep. Pel. Contra duas epistolas Pelagianorum (contra dos cartas de los pelagianos).

c. Faust. Contra Faustum Manicheum (Contra Fausto maniqueo).

c. Iul. Contra Iulianum (Contra Juliano de Eclana).

c. Iul. imp. Contra Iulianum opus imperfectum (Contra Juliano, obra inconclusa).

c. litt. Pet. Contra litteras Petiliani (contra las cartas de Petiliano).
c. Max. Contra Maximinum Arianum (Contra Maximino arriano).
ciu. De ciuitate Dei (La ciudad de Dios).
Conf. Confessiones (Confesiones).
Conl. Max. Conlatio cum Maximino Arianorum episcopo (Encuentro con el obispo arriano Maximino).
Cresc. Ad Cresconium grammaticum (A Cresconio, gramático).
doctr. chr. De doctrina christiana (Sobre la instrucción cristiana).
en. Ps. Enarrationes in Psalmos (comentarios a los Salmos).
ep. Epistulae (Cartas).
ep. Io. tr. In Epistulam Iohannis ad Parthos tractatus (Tratado sobre la carta de san Juan).
exp. Gál. Expositio epistulae ad Gálatas (Exposición de la carta a los Gálatas).
gest. Pel. De gestiis Pelagii (De los hechos de Pelagio).
haer. De haeresibus (Sobre las herejías).
Io. eu. tr. In Iohannis euangelium tractatus (Tratado sobre el Evangelio de san Juan).
mend. De mendacio (Sobre la mentira).
op. mon. De Opere Monachorum (Sobre el trabajo de los monjes).
pat. De patientia.
perseu. De dono perseuerantiae (Del don de la perseverancia).

praed. sanct. De praedestinatione sanctorum (De la predestinación de los santos).
qu. Quaestionum libri (Libro de las cuestiones).
qu. Mt.. Quaestiones XVI in Matthaeum (16 cuestiones del Evangelio de san Mateo).
reg. Regula (Regla monástica de san Agustín).
retr. Retractationes (Revisiones).
s. Sermo (Sermón).
s. dom. m. De sermone domini in monte (Sobre el sermón del Señor en la montaña).
trin. De Trinitate (Sobre la Trinidad).
uita. uita Augustini. (Vida de san Agustín, escrita por san Posidio).
uirg. De sancta uirginitate (Sobre la santa virginidad).

VIDA DE SAN PABLO

Para poder entender mejor la vida y la obra de san Pablo se podrían dividir en cinco etapas.

Primera etapa: hebrea (hacia los años 10–35 d.C.)

Pablo nació en Tarso (Hch 9, 11. 30; 11, 25; 21, 39). Era hebreo, hijo de padres hebreos (Flp 3, 5; 2Cor 11, 22), además ciudadano *romano* (Hch 22, 25-29; 23, 27).

Vivió algún tiempo y se educó en Jerusalén "bajo la tutela de Gamaliel" (Hch 22, 3) como fariseo, pues fue muy celoso de la Torah y de las tradiciones religiosas hebreas (Flp 3,5; Hch 23, 6-9; 26,5). Perseguía a los cristianos porque para él la creencia de que Jesús era el Mesías no era compatible con las enseñanzas del judaísmo (Gál 1, 13-14; Flp 3, 5-6; 1Cor 15, 9; Hch 7, 58; 8, 1; 9, 1-2; 22, 3-5; 26, 4-12).

Su nombre de nacimiento era "Saulo" (Hch 7, 58-13, 9; 22, 7; 26, 14), pero al comenzar su trabajo misionero cambió su nombre por el de "Pablo" (Hch 13, 9), que significa "el pequeño", el menor, como comenta san Agustín (*s.* 169, 5).

Segunda etapa: su conversión y primicias apostólicas (años 35–49 d.C.)

Jesús se le apareció a Pablo en el camino a Damasco (Gál 1, 11-12, 15-16; 1Cor 15, 8-10; Hch 9, 3-30; 22, 6-21; 26, 12-18. San Agustín lo comenta en *trin.* 15, 34). A partir de ese momento, Pablo comienza a predicar a Cristo en las regiones de Arabia, Damasco, Siria y Cilicia, a pesar de cierta oposición de parte de algunos judíos (Gál 1, 17-24; 2Cor 11, 23-33).

Bernabé, que conocía las cualidades de Pablo, lo presentó y respaldó ante diversas comunidades cristianas (Hch 9, 26-30; 11, 25-30; 12, 25). Ambos fueron enviados por la iglesia de Antioquía a predicar a Chipre, Panfilia y Pisidia (Hch 13-14). En este primer viaje, Bernabé es quien dirige y Pablo es todavía su ayudante (Hch 14, 12).

Bernabé y Pablo participan en el "Concilio de Jerusalén" (*ca.* 49 d.C.; Gál 2, 1-10; Hch 15; san Agustín lo comenta en *exp. Gál.* 10).

Tercera etapa: la evangelización de Macedonia y Acaya (años 50–52 d.C.)

Pablo se separa de Bernabé (Gál 2, 11-14 y Hch 15, 36-41). Viaja por Asia Menor con Silas y Timoteo; atraviesan Macedonia, donde fundan pequeñas comunidades cristianas, particularmente en Filipos y Tesalónica (Hch 16, 1-17, 15).

En Acaya, Pablo tiene poco éxito en su predicación en Atenas (Hch 17, 16-34; san Agustín lo comenta en *Cresc.* 1, 15). Por lo que continúa su viaje a Corinto, donde permanece por más de 18 meses (Hch 18, 11. 18). Ahí se encuentra con Priscila y Aquila, poco después de que el emperador Claudio hubiera expulsado a los judíos de Roma en el año 49 (Hch 18, 2; san Agustín lo comenta en *op. mon.* 22).

En Acaya, Pablo fue juzgado por el procónsul Galio (Hch 18, 12-17), hacia el año 51-52. Desde Corinto, Pablo escribe su carta a la comunidad en Tesalónica (1Tes 3, 1-6).

Cuarta etapa: trabajo misionero, particularmente en Asia Menor (años 53–57 d.C.)

Pablo viaja por Asia Menor con rumbo a Siria (con breves visitas a Jerusalén y Antioquía). Después regresa a Éfeso (Hch 18, 18-19, 41), donde permanece al menos 27 meses, predicando y ayudando a las iglesias (Hch 19, 8. 10. 22). Posteriormente viaja a Macedonia, Corinto y varias ciudades de Asia Menor. También envía y recibe mensajeros y cartas (1Cor 16, 5-12; 2Cor 8-9; Flp 2, 19-30; 4, 10-20). Funda comunidades cristianas en Epafrás y Colosas (Col 1, 7).

Pablo encuentra oposición a su labor evangelizadora tanto por parte de los judíos como de los gentiles, particularmente por parte de ciertos plateros de Éfeso cuyo negocio consistía en la venta de estatuillas de la diosa Artemisa venerada en esta ciudad (Hch 19, 26; san Agustín lo comenta en *en. Ps.* 45, 7). Probablemente pasó algún tiempo en la cárcel en esta ciudad. Desde Éfeso, escribe cartas a las comunidades cristianas en diversas ciudades: 1Cor, 2Cor, Flp, Flm y probablemente Gál (1Cor 15, 32; 16, 8; 16, 19).

Quinta etapa: "He completado mi carrera..." 2Tim 4, 7 (*ca.* 58–62/64)

Pablo quería viajar a Roma y a España, pero antes quería recoger las aportaciones de sus comunidades y entregarlas a la Iglesia de Jerusalén para socorrer a los pobres de esta comunidad (1Cor 16, 1-4; Rm 15, 22-32; Hch 19, 21). Se quedó en Corinto tres meses más (Hch 20, 3), donde escribió una carta a los cristianos de Roma (Rm 16).

Pablo viaja a Jerusalén a entregar el fruto de la colecta, y poco después en la misma ciudad de Jerusalén es arrestado en el Templo (Hch 20-21). Se queda en la cárcel en Cesarea unos dos años. Durante el juicio apela al Emperador, por lo que es llevado a Roma, en donde queda bajo arresto domiciliario por dos años (Hch 22–28). Desde la cárcel en Cesarea o desde Roma, Pablo escribe una carta a los cristianos en Colosas.

Según la tradición de los primeros cristianos, Pablo fue decapitado durante la persecución del emperador Nerón (64-68).

La herencia de san Pablo

Con el tiempo se reunieron y se editaron las cartas de san Pablo (2Pe 3, 15-16). A finales del siglo primero, 10 cartas ya circulaban juntas (faltaban: 1Tim, 2Tim, Tito). Con el tiempo, las 13 cartas atribuidas a san Pablo fueron admitidas en el canon de la Biblia. A veces, la *Carta a los Hebreos* también se consideraba como escrita por san Pablo. No obstante, en la actualidad los biblistas están de acuerdo en que esta carta no pertenece a san Pablo. San Agustín en un primer momento la consideró como de san Pablo (*doctr. chr.* 2, 13), pero al final de su vida ya no la atribuía a san Pablo, sino a otro escritor, sin dudar por ello de su canonicidad (*c. Iul. imp.* 1, 48; 4, 104). Otras leyendas de san Pablo se desarrollaron a través de los siglos, que se pueden encontrar en varias obras apócrifas, como por ejemplo, los *Hechos de Pablo* y los *Hechos de Pablo y Tecla* (santa Tecla, por la popularidad que gozaba en el tiempo de san Agustín, es mencionada en *uirg.* 45).

TOLLE LEGE

Rm 13, 13 / *Conf.* 8, 12, 29-30

La noche está avanzada. El día se avecina. Despojémonos, pues, de las obras de las tinieblas y revistámonos de las armas de la luz.[13] *Como en pleno día, procedamos con decoro: nada de comilonas y borracheras; nada de lujurias y desenfrenos; nada de rivalidades y envidias.*[14] *Revestíos más bien del Señor Jesucristo y no os preocupéis de la carne para satisfacer sus concupiscencias"* (Rm 13, 12-14).

El papa Benedicto XVI, en la homilía pronunciada en Pavía el 22 de abril de 2007, presentó a san Agustín como el santo que había vivido a lo largo de su vida un empeño constante de conversión, de buscar siempre ajustar sus pasos al camino de Dios.[71] En este itinerario espiritual hacia Dios, un primer texto paulino que mueve su corazón es el texto de la *Carta a los*

71. Repetirá las mismas ideas en la audiencia general del 27 de febrero de 2008 durante una catequesis sobre san Agustín como el gran convertido: "Sant'Agostino, triplice conversione". *Cfr.* Benedetto XVI, "Udienza generale, 27 febbraio 2008", en *I Padri della Chiesa. Da Clemente a Sant'Agostino,* Roma, Libreria Editrice Vaticana, 2008, p. 227.

Romanos, en el que después de haber escuchado una voz "como de niño o de niña" que continuamente le repetía "toma y lee, toma y lee", supo que esta voz no era otra cosa que un mensaje, un reclamo de Dios que le invitaba a tomar entre sus manos el códice de las cartas del apóstol Pablo, como había hecho antes san Antonio del desierto, quien había descubierto la voluntad de Dios al escuchar las palabras del Evangelio según san Mateo (Mt 19, 21). Así pues, tomando este códice en sus manos, lo abrió y leyó las primeras palabras que le salieron al paso. Fueron palabras que le traspasaron el corazón y que le iluminaron los ojos del corazón, para que desaparecieran las sombras de la duda.

El relato agustiniano no puede ser más emocionante: Mas he aquí que oigo de la casa vecina una voz, como de niño o niña, que decía cantando y repetía muchas veces: "Toma y lee, toma y lee".

De repente, cambiando de semblante, me puse con toda la atención a considerar si por ventura había alguna especie de juego en que los niños soliesen cantar algo parecido, pero no recordaba haber oído jamás cosa semejante; y así, reprimiendo el ímpetu de las lágrimas, me levanté, interpretando esto como una orden divina de que abriese el códice y leyese el primer capítulo que hallase. Porque había oído decir de Antonio que, advertido por una lectura del Evangelio, a la cual había llegado por casualidad, y tomando como dicho para sí lo que se leía: "Vete, vende todas las cosas que tienes, dalas a los pobres y tendrás un tesoro en los cielos, y después ven y sígueme" (Mt 19, 21), se había a punto convertido a ti con tal oráculo.

Así que, apresurado, volví al lugar donde estaba sentado Alipio y yo había dejado el códice del apóstol al levantarme de allí. Lo tomé, pues; lo abrí y leí en silencio el primer capítulo que se me vino a los ojos, y decía: "No en comilonas y embriagueces, no en lechos y en liviandades, no en contiendas y emulaciones sino revestíos de nuestro Señor Jesucristo y no cuidéis de la carne con demasiados deseos" (Rm 13, 13). No quise leer más, ni era necesario tampoco, pues al punto que di fin a la sentencia, como si se hubiera infiltrado en mi corazón una luz de seguridad, se disiparon todas las tinieblas de mis dudas (*Conf.* 8, 12, 29).

Después de esta lectura, san Agustín se decide a abandonar su anterior vida de alejamiento de Dios, a romper con sus indecisiones y a tomar la firme resolución de prepararse para el bautismo, viviendo el resto de su vida con un fuerte propósito de santidad, ejercitándose en una espiritualidad de conversión continua, estando atento para alejar de su vida todo lo que fuera un obstáculo en su camino hacia Dios. Su vida se convierte en un proceso continuo de experimentar la labor de la creación de Dios en su interior, de convertirse hacia Dios, dejando a las criaturas y de configurarse con Cristo: *conversio, creatio, formatio.*

Como hortelano, Agustín va a trabajar todos los días en el jardín de su corazón para escardar y quitar de él todas las semillas que no sean del Reino de los cielos y para hacer que crezcan y florezcan en él las simientes de Dios: "He aquí que estoy Señor, mano sobre mano y trabajo en mí mismo; estoy hecho como una labranza dura, que me hace sudar abundantemente" (*Conf.* 10, 16).

Y ya que estaba cerca Alipio, éste también se acercó y leyó las palabras que seguían dentro de esta misma *Carta a los Romanos*:

> Entonces, puesto el dedo o no sé qué cosa de registro, cerré el códice, y con rostro ya tranquilo se lo indiqué a Alipio, quien a su vez me indicó lo que pasaba por él, y que yo ignoraba. Pidió ver lo que había leído; se lo mostré, y puso atención en lo que seguía a aquello que yo había leído y yo no conocía. Seguía así: Recibid al débil en la fe (Rm 14, 1), lo cual se aplicó él a sí mismo y me lo comunicó. Y fortificado con tal admonición y sin ninguna turbulenta vacilación, se abrazó con aquella determinación y santo propósito, tan conforme con sus costumbres, en las que ya de antiguo distaba ventajosamente tanto de mí (*Conf.* 8, 12, 30).

Palabras que definen la búsqueda agustiniana de Dios, ya que ésta se va a hacer siempre en comunidad, como grupo de hermanos que unidos en la caridad van buscando a Dios, no teniendo más que una sola alma y un solo corazón orientados hacia Dios (*s. Dolbeau* 26, 48), con un propósito común de conversión continua, de buscar siempre a Dios; buscándolo para encontrarlo y encontrándolo para seguirlo buscando con mayor ardor (*trin.* 15, 2, 2).

El *tolle lege* (toma y lee) del huerto, iluminado con el texto de la carta de san Pablo a los Romanos se convierte en uno de los motivos espirituales esenciales de san Agustín, quien continuamente tomará la Palabra de Dios entre sus manos para descubrir en ella la voluntad de Dios, pues "cuando lees, te habla Dios; cuando oras, tú hablas a Dios" (*en. Ps. 85, 7)*. A partir de la lectura de la Palabra de Dios, san Agustín aprende a leer también los acontecimientos del mundo en el que vive y los mismos acontecimientos de su vida, como un gran texto en donde se manifiesta el amor y la misericordia de Dios; sin embargo, para poder hacer este movimiento del *tolle lege,* es preciso no olvidar el texto paulino, la conversión y la ruptura del camino del mundo y del pecado nos dan la pauta y la clave de la lectura, nos marcan el reto de la conversión continua.

Algunos textos agustinianos donde comenta Rm 13, 13

*Arrojemos de nosotros las obras de las tinieblas y vistámonos con las armas de la luz y como en día caminemos honestamente (Rm 13, 13); sin embargo, ¿cuánto más no será este día del que habla el Apóstol, también noche, en comparación con aquel día en el que hechos nosotros iguales a los ángeles veamos a Dios conforme es? Si no fuera noche este día carnal, no necesitaríamos en este mundo la lámpara de la profecía, conforme dice el apóstol Pedro: "Tenemos una palabra segura y profética a la que hacéis bien en prestarle atención, como a lámpara que alumbra en este oscuro lugar, hasta que brille con todo esplendor el día y nazca en vuestros corazones el lucero de Dios" (2Pe 1, 19).

*Mirad cómo las lámparas (las Sagradas Escrituras) dan también testimonio del día por nuestra flaqueza, ya que no podemos soportar ni ver la claridad del día. Nosotros mismos, los cristianos, somos luz, es verdad, en comparación con los infieles; por eso dice el Apóstol: "fuisteis algún tiempo tinieblas, mas ahora sois luz en el Señor; caminad como hijos de la luz" (Ef 5, 8). Y en otro lugar: "la noche está ya avanzada y se acerca el día; renunciad, pues, a las obras de las tinieblas y vistámonos de las armas de la luz; como en la claridad del día honestamente caminemos" (Rm 13, 12). Sin embargo, puesto que, en comparación de aquella luz a la que con ansia esperamos que llegue, es de noche todavía aun el día mismo en que vivimos, que se oiga al apóstol Pedro, que nos habla de la voz llena de poderío y magnificencia que vino sobre Cristo nuestro Señor: "Tú eres mi Hijo amado, en quien tengo mis complacencias. Esta voz venida del cielo, dice, la oímos nosotros cuando estuvimos con Él en el monte santo" (*Io. eu. tr.* 35, 8).

*Debemos hacer cosas buenas, es decir, debemos obrar como en la luz cuando obramos enseñándonos a Cristo. Cualquiera que obra perversamente, obra en la noche y no en la madrugada (...) Se nos exhorta pues, a que caminemos como de día, en honestidad: "como de día –dice–, caminemos honestamente" (Rm 13, 13). Y también: "vosotros sois hijos de la luz e hijos del día, no de la noche no de las tinieblas" (1Tes 5, 5. 8). ¿Quiénes son los hijos de la noche y de las tinieblas? Quienes ejecutan toda clase de males, de tal modo son hijos de la noche, que temen se les vea lo que obran (...) Luego nadie obra de madrugada a no ser que obre en Cristo. Quien estando ocioso se acuerda de Cristo, medita en Él en todas sus actividades y Cristo le ayuda en el bien obrar para que no desfallezca por debilidad (*en. Ps.* 62, 15).

*La noche ha pasado y se ha acercado el día; arrojemos las obras de las tinieblas y revistámonos con las armas de la luz y caminemos honestamente como en pleno día (Rm 13, 12-13). Reconozcamos al día y seamos día. Éramos noche cuando vivíamos en la infidelidad. Y como la infidelidad había cubierto de tinieblas al mundo entero cual si fuera la noche, tenía que disminuir al aumentar la fe; por eso comienza a disminuir la duración de la noche y a aumentar la del día en la noche misma del nacimiento de nuestro Señor Jesucristo. Tengamos, pues, hermanos, por solemne este día, no por motivo de este sol como los infieles, sino pensando en quien lo hizo (*s.* 191, 1).

Para tu reflexión personal

–¿He aprendido a escuchar la voz de Dios que me habla a través de su Palabra en la Sagrada Escritura?

–¿Hago de la Sagrada Escritura mi alimento cotidiano o, más bien, me alimento de otras fuentes, de otros mensajes y palabras?

–¿Vivo mi vida en la tensión de una conversión continua, leyendo los signos del amor de Dios (*tolle lege*) en mi vida y en la vida del mundo o, más bien, me quejo de todo y no acepto con amor lo que me sucede?

–¿Soy acogedor con las demás personas y comparto mi experiencia de amor de Dios o vivo una espiritualidad que me encierra en mí mismo y en mis propios intereses?

"Confiesa tu pecado, confiesa la gracia de Dios; acúsate a ti mismo, glorifícale a Él" (en. Ps. 66, 6).

PIENSO EN MI RESCATE

2Cor 5, 15 / *Conf.* 10, 43, 70

"Porque el amor de Cristo nos apremia al pensar que, si uno murió por todos, todos por tanto murieron.[15] *Y murió por todos para que ya no vivan para sí los que viven, sino para aquel que murió y resucitó por ellos"* (2Cor 5, 14-15).

Los planes y los proyectos que san Agustín se había trazado en un primer momento después de su conversión (el vivir toda su vida como monje en el *otium sanctum*, dedicado a la oración, a la vida comunitaria, al trabajo manual, al estudio de los libros sagrados) cambiaron por los planes de Dios, quien a través del obispo de Hipona, el anciano Valerio, le hizo saber que lo quería como pastor de su pueblo, primero como presbítero y después como obispo. Así, la vida de san Agustín da un giro completo en el año 391, en el que de manera involuntaria es elegido para ser presbítero de la Iglesia de Hipona, cosa que san Agustín acepta no por gusto, sino porque vio en ello la manifestación de la voluntad de Dios (*s.* 355, 2).

El pasaje que a continuación citamos de las *Confesiones* no sabemos con exactitud a qué momento de la vida de san Agustín se refiere. Algunos lo atribuyen al momento previo a la ordenación como presbítero, en el que siente la tentación de huir y de escapar a la soledad para dar vida a su plan primigenio y también por el sentimiento de indignidad que le invade, recordando sus antiguos pecados. De esta manera lo leyó el papa Benedicto XVI en la homilía del 22 de abril de 2007 en Pavía.

Otros comentan que fue una tentación sufrida en su época de presbítero, particularmente ante la testarudez de su pueblo en lo relativo a las celebraciones tan escandalosas realizadas en las tumbas de los mártires, en las que los fieles comían y bebían en honor de los héroes del cristianismo, los mártires, llegando en ocasiones hasta la embriaguez y transformándose casi en celebraciones paganas (*ep.* 29). Sea como fuere, el texto paulino, centrado en la obra de la redención y en la muerte salvadora de Cristo, le recuerda a san Agustín que si Cristo dio su vida en la cruz para salvar a los hombres, él debe permanecer en el puesto que le ha sido asignado, para el que ha sido elegido por el Señor, aunque se sienta indigno de él o a pesar de que vea que sus sueños se han visto truncados, pues sabe que ya no vive para sí, sino para Dios, que lo ha llamado a entregar su vida como pastor de su Iglesia, sin limitaciones ni cortapisas:

> Aterrado por mis pecados y por el peso enorme de mi miseria, había tratado en mi corazón y pensado huir a la soledad mas tú me lo prohibiste y me tranquilizaste, diciendo: "Por eso murió Cristo por todos, para que los que viven ya no vivan para sí, sino para aquel que murió por ellos" (2Cor 5, 15). He aquí, Señor, que ya arrojo en ti mi cuidado, a fin de que viva y pueda "considerar las maravillas de tu ley" (*Ps* 118, 18). Tú conoces mi ignorancia y mi debilidad: enséñame y sáname. Aquel tu Unigénito en "quien se hallan escondidos todos los tesoros de la sabiduría y de la ciencia" (Col 2, 3), me redimió con su sangre. "No me calumnien los soberbios" (*Ps* 118, 122), porque pienso en mi rescate, y lo como y bebo y distribuyo, y, pobre, deseo saciarme de él en compañía de aquellos que lo comen y son saciados. "Y alabarán al Señor los que le buscan" (*Ps* 21, 27) (*Conf*. 10, 43, 70).

De este modo el texto de 2Cor 5, 15 está en relación con el texto de Col 2, 3, ya que san Agustín nos dice cuánto medita y considera sobre la muerte redentora de Cristo, sabiendo que los hombres han sido rescatados con el gran tesoro de la sangre de Jesús. Por ello él "medita en el precio de su rescate" y en el precio del rescate de todos los hombres, comprados no con oro o bienes efímeros, sino con la sangre del mismo Cristo. Como ministro que fue de la Iglesia, san Agustín también distribuyó y se alimentó de este precio del rescate de los hombres, hallando en él su comida y bebida cotidiana (*s*. 339, 2) y repartiendo con fidelidad y amor este alimento a los fieles de Hipona.

Algunos textos en los que san Agustín comenta 2Cor 5, 15

*(Después de citar 2Cor 5, 15) queda ya claro para cualquiera que el Apóstol dijo esto pensando en la resurrección de Cristo, (...) Y así el Apóstol ya no conocía según la carne a ninguno de aquellos por quienes Cristo murió y resucitó y que ya no viven para sí, sino para él, en virtud de la esperanza de la futura inmortalidad, en cuya espera vivían. Esperanza que en la persona de Cristo ya no sea esperanza sino realidad. Aunque conocía a Cristo, según la carne ya no le conocía, porque sabía que había resucitado y que la muerte no tendría ya dominio sobre él (*c. Faust*. 11, 18).

*(Cristo) tomó el cuerpo de Adán, porque de Adán procedía la Virgen María que alumbró a Cristo. Había dicho Dios en el paraíso: "El día en que lo toquéis moriréis" (Gén 1, 17). Esta es la maldición que colgó del madero (...) el Apóstol (...) dice: "Se hizo maldición por nosotros" (Gál 3, 13), al igual que no temió decir: "Murió por nosotros" (2Cor 5, 15). Este murió es lo mismo que se hizo maldición, porque la misma muerte procede de la maldición y maldición es todo pecado, tanto aquel cuya comisión sigue el castigo, como el mismo castigo, al que con otro nombre se le llama pecado, porque procede del

pecado. Cristo tomó, sin la culpa, nuestro castigo, para borrar con él nuestra culpa y dar fin también a nuestro castigo (*c. Faust.* 14, 4).

*(Después de citar 2Cor 5, 15) todos, pues, sin excepción, han muerto por el pecado, sea por el pecado original, sea por los actuales, añadidos por ignorancia o malicia. Y el único vivo, es decir, el único exento de pecado, murió por los muertos, a fin de que los que viven por haberles sido perdonados los pecados, no vivan ya para sí, sino para Aquel que murió por todos a causa de nuestros pecados y resucitó para nuestra justificación. Y además, con el fin de que creyendo en Aquel que justifica al impío y siendo justificados de la impiedad, como los muertos que resucitan, podamos pertenecer a la primera resurrección que actúa ahora. A ésta pertenecen únicamente los que serán eternamente bienaventurados, y a la segunda (…) pertenecen, según el Apóstol, tanto los buenos como los malos. Aquélla es de misericordia y, ésta, de juicio.

*(Después de citar 2Cor 5, 15) roguemos al médico del herido, llevémosle a la casa del enfermo, pues Él es quien ha prometido la salud, quien se compadeció después que lo dejaron los ladrones semivivo en el camino, lo bañó con vino y aceite, curó sus llagas, lo llevó en su jumento, lo condujo a la posada y lo encomendó al posadero (…) Dio, además, dos monedas para emplearlas en curar al herido; quizá sean estas monedas los dos mandamientos de los cuales pende toda la Ley y los Profetas sermón.

También la Iglesia, hermanos, es la posada del viajero, donde se cura a los heridos durante esta vida mortal; pero allá arriba tiene reservada la posesión de la herencia (*Io. eu. tr.* 41, 13).

Para tu reflexión personal

–¿Cómo vivo mis propios fracasos?, ¿veo en ellos una invitación de Dios a ser cada vez mejor y más humilde?

–¿Es Dios para mí un "aguafiestas" que continuamente tergiversa mis planes y proyectos y ante el cual siento una gran rebeldía y frustración o, después de mi tiempo de "duelo", sé darle el sí al Señor y secundar su proyecto respecto a mi vida y a la de mis seres queridos?

–¿Afronto con la valentía y sabiduría de Dios mis conflictos y problemas o más bien huyo de ellos, los niego o creo que se van a resolver por sí mismos, sin darme cuenta de que Dios me coloca en ocasiones ante situaciones difíciles, para que sea más humilde, para que crezca interiormente y reconozca que sin Él no puedo hacer nada?

–¿Mi vida es sólo mía y vivo centrado sólo en mí mismo, o recuerdo que desde el bautismo ya no me poseo a mí mismo, sino que vivo para Cristo y en Cristo, y por lo tanto, mi vida tiene sentido desde el darme y entregarme a los demás?

"Todas tus obras hazlas bien y has alabado a Dios" (*en. Ps.* 34, 2, 16).

HA VENCIDO LA GRACIA DE DIOS

1Cor 4, 7 / *Sancta Virginitate* 41 y 43;
Retractationes 2, 1, 1

"Pues, ¿quién es el que te prefiere?, ¿qué tienes para que no lo hayas recibido? Y si lo has recibido, ¿por qué gloriarte cual si no lo hubieras recibido?" (1Cor 4, 7).

Otra de las conversiones obradas por Dios en el corazón de Agustín es la del descubrimiento del papel fundamental que juega la gracia en la obra de la santificación de los hombres y cómo en esta dinámica de la gracia y de los dones de Dios, la iniciativa siempre parte del Señor. El hombre es pobre y limitado y debe reconocer con humildad que todo lo que tiene y todo lo que es, lo es porque lo ha recibido de la mano generosa de Dios.

Como bien lo ha señalado el Papa en su homilía de Pavía del 22 de marzo del 2007 –y después lo repetiría en la catequesis de los miércoles el 27 de febrero de 2008– san Agustín siendo un joven presbítero, creía que el hombre poseía en sí mismo la fuerza para orientarse hacia Dios, y que Dios, en base a ese movimiento decidido del hombre, le concedía la gracia. No obstante, poco después a partir de la meditación del texto paulino de 1Cor 4, 7, descubre que todo es gracia, y don de Dios, tanto el comenzar a creer, como el ir creciendo en el camino de la fe y poder perseverar en esta misma fe hasta el final. Por ello este texto aparecerá más de 135 veces en las obras agustinianas, muchas de ellas en un doble contexto, por una parte un contexto antipelagiano y paralelamente a él, en un contexto monástico (especialmente en la polémica con los monjes tanto de Hadrumento como con los de la Galia).

Así en el *De Sancta Virginitate* para subrayar que vivir en virginidad consagrada y en castidad por el Reino de los cielos es un don –tanto los varones como las mujeres, quienes son considerados vírgenes pues se encuentran insertos en la Iglesia que es la Virgen por excelencia–, insiste no sólo en la humildad, sino también en que todo viene de Dios, que es algo recibido de Dios, pues su gracia dispone y prepara la voluntad del hombre:

> ¿Quién distribuye a cada uno los (dones) suyos según le place? Dios ciertamente, ante quien no cabe iniquidad alguna. Conocer esa equidad por la que ofrece a unos esto, a otros aquello, es imposible o en gran manera difícil a los hombres, mas no nos es permitido dudar de que lo hace con justicia. Por tanto, ¿qué tienes que no hayas recibido? O, ¿por qué perversidad vas a amar

> menos a aquel de quien más has recibido? Por todo lo cual, el primer pensamiento de una virgen de Dios que quiera revestirse de humildad ha de ser el guardarse de juzgar que es virgen por su virtud más que por un don óptimo que ha venido de arriba, descendiendo del Padre de las luces, en quien no cabe mudanza ni sombra de variación (*virg.* 41-42).

Muchos años más tarde, casi ya al final de su vida, cuando escribe sus *Retractationes* (es preciso no confundirse con el título de esta obra, pues no significa que se echara para atrás de lo que había escrito, sino que más bien la palabra latina significa "revisión", el volver a leer sus obras y explicar cómo a lo largo de su vida fue profundizando ciertas ideas o bien su pensamiento fue evolucionando) volverá a este tema, con base en el mismo texto de san Pablo, haciendo un magnífico resumen de su diatriba entre la libertad humana y la gracia de Dios, para finalmente después de citar el texto de 1Cor 4, 7, y hacer alusión a una frase de san Cipriano que san Agustín cita como un excelente comentario a dicho texto paulino:

> En la solución de esta cuestión me esforcé por sostener el libre albedrío de la voluntad humana, pero ha vencido la gracia de Dios, y no se ha podido sino llegar a la plena comprensión de cuanto el Apóstol afirma con suma claridad y verdad: ¿Qué es lo que te distingue? ¿Qué cosa tienes que no hayas recibido? Y si lo has recibido, ¿por qué te glorías como si no lo hubieses recibi-

do? Queriendo ilustrar este concepto el mártir Cipriano lo ha resumido en una frase: "No debemos gloriarnos en nada, porque nada nos pertenece" (*retr.* 2, 1, 1).

"Ha vencido la gracia de Dios", el proceso de la conversión de todo ser humano debe llegar a esta convicción. Después de las arduas luchas en las que la voluntad del hombre es capacitada y preparada por la gracia, al secundar las inspiraciones de Dios y obrar el bien, es preciso no caer en la soberbia, sino reconocer que si el hombre puede actuar bien es porque en él ha vencido la gracia de Dios y que al final de la vida de cada ser humano, al rendir cuentas a Dios, sería muy importante no vanagloriarse de estas obras buenas o exigir por ellas una recompensa, pues toda obra buena es un don de Dios (*perserv.* 46), sino poder decir con san Agustín: "ha vencido la gracia de Dios".

Algunos textos en los que san Agustín comenta 1Cor 4, 7

*Así, pues, cogí avidísimamente las venerables Escrituras de tu Espíritu, y con preferencia a todos, al apóstol Pablo (...) Y comprendí y hallé que todo cuanto de verdadero había yo leído allí, se decía aquí realzado con tu gracia, para que el que ve no se gloríe, como si no hubiese recibido, no ya de lo que ve sino también del poder ver –pues ¿qué tiene que no lo haya recibido? (1Cor 4, 7)–; y para que sea no sólo exhortado a que te vea, a ti que eres siempre el mismo, sino también sanado, para que te retenga; y que el que no puede ver de lejos camine, sin embargo, por la senda por la que llegue y te vea y te posea (*Conf.* 8, 21, 27).

*¿Qué es lo que puede hacer infortunada (al alma) bajo la mano de un Señor omnipotente y bueno, sino su pecado y la justicia de su Dios? Y, ¿qué es lo que puede hacerla feliz, sino su mérito y el galardón de su Señor? Pero su mérito es gracia de Él, cuya recompensa será su ventura. El alma no puede darse a sí misma la justicia, pues una vez perdida, ya no la posee. La recibió cuando fue el hombre creado, y al pecar la perdió. Recibió la justicia por la que pudiera merecer la felicidad. Con razón dice el Apóstol al que principia a envanecerse del bien como si fuera propio: "¿Qué tienes que no lo hayas recibido. Y si lo recibiste, ¿por qué te glorías como si no lo hubieras recibido?" (1Cor 4, 7).

*(Después de citar 1Cor 4, 7) (...) por este testimonio del Apóstol me había convencido yo mismo acerca de esta materia, sobre la cual pensaba de manera tan distinta, inspirándome el Señor la solución cuando, (...) escribía al obispo Simpliciano. Porque en este testimonio del Apóstol, en que para refrenar la soberbia del hombre, se dice: "¿Qué cosa tienes tú que no la hayas recibido?", no permite a ningún creyente decir: "Yo tengo fe y no la he recibido de nadie", pues con estas palabras del Apóstol sería totalmente abatida la hinchazón de semejante respues-

ta. Ni tampoco le es lícito a nadie decir: "Aunque no tengo la fe perfecta o total, tengo, no obstante, el principio de ella, por el cual primeramente creí en Jesucristo". Porque también aquí le será respondido: "¿Qué cosa tienes tú que no la hayas recibido? Y si la has recibido, ¿de qué te glorías como si no la hubieras recibido?" (1Cor 4, 7) (*praed. sanct.* 8).

*El Apóstol dijo: "¿Qué tienes que no hayas recibido? Y si lo recibiste, ¿por qué te glorías como si no lo hubieses recibido?" (1Cor 4, 7) Como si dijera: "¿Por qué te glorías como si tuvieses de tu cosecha lo que ni aún podrías tener por ti mismo si no lo hubieses recibido?" Así hablaba para que el que se gloríe no se gloríe en sí mismo, sino en el Señor, y para que el que aún no tiene de qué gloriarse, no lo espere de sí mismo, sino que lo pida a Dios. Y mejor es carecer de algo y pedírselo a Dios, que sobresalir en algo y atribuírselo a sí mismo (*ep*. 150, 2, 10).

Para tu reflexión personal

–¿Sé reconocer en mi vida la acción de Dios, la acción de su gracia en mí o creo que todo lo que hago y soy lo tengo por mí mismo?

–¿Reconozco que todo lo que soy y tengo es un don de Dios y vivo en una continua acción de gracias a Dios por todos sus beneficios?

–¿Busco ser el protagonista de mi vida espiritual y controlarlo todo o, más bien, dejo el protagonismo a Dios, a su gracia y con docilidad me dejo conducir por ella, aceptando lo que me concede y pidiendo lo que todavía no puedo alcanzar?

–¿Me creo más santo que los demás y esto me lleva al desprecio de los otros o a resaltar continuamente sus pecados, porque con ello creo que se acentúa mi propia santidad?, ¿necesito el pecado de mis hermanos para sentirme "santo", en lugar de orar por ellos y reconocer la obra de Dios en mí?

"Sea humilde el cristiano. Si quiere que el Dios excelso se acerque a él, sea humilde" (*en. Ps.* 33, 2, 23).

EL ESPÍRITU QUE VIVIFICA

Rm 7, 24-25 / *De gestis Pelagii* 21;
De correptione et gratia 29

"¡Pobre de mí!, ¿quién me librará de este cuerpo que me lleva a la muerte?, [25] *¡gracias sean dadas a Dios por Jesucristo nuestro Señor!"* (Rm 7, 24-25).

Cuando san Agustín se acerca en sus primeras obras a este texto de san Pablo, interpreta el texto como si éste hablara de una persona que todavía no había recibido el bautismo o bien de un cristiano imperfecto que tiene todavía que esforzarse en el camino de Dios (*s.dom.m.* 1, 36). No obstante con el paso de los años y de la acción de la gracia de Dios –como pone de manifiesto el Papa en su homilía del 22 de abril de 2007 en Pavía–, san Agustín llega a comprender que el apóstol está hablando de sí mismo, de la lucha que él tiene que librar en su interior contra los principios del pecado, por lo que va a interpretar este texto desde esa perspectiva, como una humilde confesión de Pablo de la necesidad de la gracia para luchar contra los principios del mal y del pecado que habitan en su interior (*retr.* 1, 19, 1-3).

Los pelagianos lo acusarán de que está afrentando la imagen de san Pablo, al considerarlo pecador y necesitado de la gracia para continuar en la lucha. Es verdad que en la primitiva Iglesia hubo una particular veneración al apóstol Pablo, pero san Agustín no hace ninguna afrenta a la figura del Apóstol de los gentiles al hablar de esta manera. De hecho, expresa sus dudas exegéticas de este pasaje a san Jerónimo, quien le invita a leer el texto, viendo en él una queja personal del propio Apóstol, quien a pesar de la acción de la gracia en su corazón, debe seguir luchando contra los principios del pecado que habitan en él.

La reflexión agustiniana sobre este texto será definitiva, no sólo para hacernos ver cómo san Agustín desarrolla su teología a partir de la reflexión de la Biblia leída dentro de la Iglesia y de la tradición, sino también en lo que respecta a su predicación, particularmente en lo referente a la predicación en las fiestas de los mártires. Generalmente se suele tomar como punto de partida de esta nueva reflexión agustiniana, los años 411-415. A partir de entonces, e imbuido en la polémica pelagiana, hablará de los mártires como aquellos que reciben la gracia de Dios para afrontar el martirio, pero que esta gracia no anula su naturaleza ni su voluntad, sino que la prepara y dispone, sin eximirles de ninguno de los elementos humanos, como podría ser el mismo temor a la muerte.

Así pues, este texto ocupará un lugar importante en su polémica antipelagiana, para demostrar la necesidad de la gracia y de la humilde confesión cotidiana de nuestras debilidades, pues el hombre mientras viva en esta tierra, no puede creer que ya ha vencido en la lucha contra el pecado, para la que es preciso pedir todos los días con confianza la gracia de Dios que le fortalezca, pues no existe el "cristiano perfecto" y sin pecado en esta tierra, como quería Pelagio:

> De aquí procede que, al luchar entre sí las dos leyes, como la ley de los miembros repugna a la ley del espíritu y hace al hombre cautivo del pecado, llega el Apóstol a exclamar: "¡Desventurado de mí!, ¿quién me librará del cuerpo de esta muerte? La gracia de Dios por medio de nuestro Señor Jesucristo" (Rm 7, 24-25). No nos libra, pues del cuerpo de esta muerte la naturaleza, vendida por esclava al pecado y herida por el pecado, y que tiene necesidad de redentor y salvador; ni el conocimiento de la ley, que nos da el conocimiento de la concupiscencia, pero no la victoria sobre la misma; sino que nos libra la gracia de Dios por Jesucristo nuestro Señor. La gracia no es la naturaleza perecedera, ni la letra que mata, sino el espíritu que vivifica. (*gest. Pel.* 7, 20-9, 21)

La gracia no se restringe a la naturaleza, como afirmaba Pelagio, sino que es un don de Dios necesario para obrar bien, para poder creer, para poder realizar obras meritorias delante de Dios; de aquí que este texto paulino sea muy importante para san Agustín, pues la gracia es la que precede toda obra meritoria, la sostiene y la lleva a su término. Así, la realidad del ser humano, en la que luchan las dos leyes, la de la carne y la del espíritu, no puede ser superada por el conocimiento (la *gnosis*), ni por el esfuerzo y la propia voluntad, sino sólo a través de la gracia de Dios manifestada en Cristo Jesús. Por ello en la espiritualidad agustiniana jugará un papel fundamental la humildad (*s.* 137, 4), pues es preciso reconocer que el hombre con sus propias fuerzas, medios y capacidades no puede librarse de su inclinación al mal y al pecado y que para hacer lo que agrada a Dios, necesita de la gracia que lo eleve y transforme.

Algunos textos donde san Agustín comenta Rm 7, 24-25

*¿Por qué te vanaglorías?, ¿por qué presumes de la ley de la justicia?, ¿no ves qué cosa combate dentro de ti contra ti, procediendo de ti?, ¿no oyes al que lucha, al que confiesa y al que desea un auxiliador en la pelea?, ¿no oyes al atleta del Señor pedir auxilio en su contienda al presidente del certamen? No te contempla Dios en la lucha como el empresario del certamen; si quizá combates en el anfiteatro, el empresario puede premiarte si vencieres, mas no ayudarte si estás en peligro de caer (cita Rm 7, 22-25) ¿Por qué la gracia?, porque se da gratuitamente. ¿Por qué se da gratis?, porque no precedieron tus méritos, sino que se te anticiparon los dones de Dios (*en. Ps.* 30, II, 1, 6).

*Éste es arrastrado por la malicia y no lucha. Hay otros que comienzan a combatir; pero, como presumen de sus fuerzas, Dios, para demostrarles que Él es quien vence –si el hombre se le somete, y que luchando ellos son vencidos–, cuando comienzan a poseer la justicia se hacen soberbios y se estrellan. Éstos combaten, pero son vencidos, ¿Quién es el que lucha y no es vencido?, el que dice: veo otra ley en mis miembros que se opone a la ley de mi mente; que ve otra ley que se opone, pero no presume de sus fuerzas: por eso sale vencedor. ¿Cómo prosigue?, infeliz de mí, hombre, ¿quién me librará de este cuerpo de muerte? La gracia de Dios por Jesucristo nuestro Señor. Se jacta de aquel que le manda luchar, y vence al enemigo ayudado por quien le manda (*en. Ps*. 35, 6).

*Pero existe otra ley en mis miembros que se opone a la ley de mi mente y me tiene cautivo de la ley del pecado que existe en mis miembros (cita Rm 7, 22. 25). Luego derramada está la gracia en tus labios. Vino a nosotros con palabras de gracia, con beso de gracia. ¿Qué cosa hay más dulce que esta gracia?, ¿a dónde se encamina esta gracia? (…) Si hubiese venido como juez severo y no le hubiese acompañado esta gracia que se halla derramada en sus labios, ¿quién confiaría tanto en su salvación?, ¿quién no temería recibir lo que se debe al pecador? (…) Perdonó tus deudas y pagó lo que no debía. ¡Sublime gracia!, ¿por qué gracia?, porque se da gratis (*en. Ps*. 44, 7).

*(Cita Rm 7, 25) Y así oportunamente vino el médico al valle del llanto y dijo: En verdad conociste que caíste; óyeme para que te levantes, tú que por despreciarme caíste. Se dio pues, la ley para convencer al enfermo de la enfermedad, el cual se creía estar sano: para poner en claro los pecados, no para borrarlos. Puesto en evidencia el pecado por la ley que se dio, se acrecentó el pecado, porque el pecado se opone a la ley (...) Pero ¿qué dice el Apóstol? En donde abundó el pecado sobreabundó la gracia, es decir, donde se acrecentó la enfermedad, se proporcionó la medicina (*en. Ps.* 83, 10).

Para tu reflexión personal

–¿Me desanimo continuamente en mi vida cristiana viendo mis pecados y mis caídas, o más bien pongo mi confianza en Dios y le pido su gracia para continuar mi camino?

–¿Vivo una espiritualidad de "cumplimientos externos", por los que me siento justificado y santo o más bien, intento darle vida y hacer con amor todo lo que está mandado?

–¿He llegado en algún momento a creer que nunca me equivoco y que siempre tengo la razón, y esto me lleva a despreciar a los demás y a no escuchar sus razones ni sus verdades?

–¿Me gusta compararme con los demás para alimentar mi orgullo, o más bien reconozco mi pobreza esencial y agradezco los dones de Dios y procuro ponerlos al servicio de mis hermanos?

"Esta es la gran ciencia del hombre, saber que él por sí mismo es nada y que todo cuanto es le viene de Dios y es de Dios" (*en. Ps.* 70, 1).

CRISTO, EL DOCTOR DE LA HUMILDAD

Flp 2, 6-11 / *De Sancta Virginitate* 31

"*Tened entre vosotros los mismos sentimientos que Cristo:*[6] *el cual, siendo de condición divina, no retuvo ávidamente el ser igual a Dios,*[7] *sino que se despojó de sí mismo tomando condición de siervo haciéndose semejante a los hombres y apareciendo en su porte como hombre,*[8] *y se humilló a sí mismo, obedeciendo hasta la muerte y muerte de cruz.*[9] *Por lo cual Dios le exaltó y le otorgó el Nombre que está sobre todo nombre.*[10] *Para que al nombre de Jesús toda rodilla se doble en los cielos, en la tierra y en los abismos,*[11] *y toda lengua confiese que Cristo Jesús es Señor para gloria de Dios Padre*" (Flp 2, 5b-11).

Este texto de san Pablo es leído y meditado por san Agustín principalmente con dos propósitos. El primero de ellos es con una intención polémica-apologética, pues lo utiliza para demostrar y explicar que Cristo es verdaderamente Dios y a la vez hombre, pues asumió una condición igual a la de los hombres, admitiendo la forma de siervo (*div.q.* 69, 9;

c.Faust. 3, 6; c.s. *Arrian.* 6). Cabe decir que las diversas fórmulas cristológicas agustinianas tendrán mucha fortuna en la historia de la elaboración teológica, ya que la misma doctrina cristológica del concilio de Calcedonia (451), en donde se zanje de manera definitiva la unidad de persona en Cristo con dos naturalezas a partir de las fórmulas de san León Magno, estará inspirada en san Agustín (*ep.* 137, 9).

Por otra parte, este texto es usado por san Agustín para hablar de la humildad y es en este segundo sentido en el que aparece de forma más abundante dentro de su vasta obra. Cristo a pesar de ser Dios, se humilla y se abaja a sí mismo. El don de la castidad no puede vivirse con fruto, si no es desde la humildad, ya que la soberbia acecha a las buenas obras para hacerlas perecer, pues "a la soberbia le sigue la envidia como hija servil "(*virg.* 31) y cuando aparece la envida, desaparece la caridad. Ambos pecados son los que han hecho que el diablo sea el diablo (*virg.* 31), por lo que todo cristiano y particularmente el que quiera vivir la virginidad consagrada (hombre o mujer en el contexto eclesial agustiniano) debe ser humilde imitando el ejemplo del doctor de la humildad, Cristo: "por eso Cristo, el Doctor de la humildad se anonadó primero a sí mismo tomando forma de siervo, hecho semejante a los hombres y reducido a la condición de hombre. Se humilló a sí mismo hecho obediente hasta la muerte, y muerte de cruz. (...) Y como la (...) virginidad, es un óptimo bien en los santos de Dios, debe ser guardada con toda diligencia para que no la corrompa la soberbia" *(virg.* 31-32).

El ejemplo de humildad de Cristo debe mover no sólo a los que en la Iglesia han emprendido el camino elevado del seguimiento de Jesús en la vida de virginidad consagrada (hombres y mujeres) sino también a todos los cristianos, ya que como bien explica san Agustín, el nombre de cristianos vine de Cristo, y Cristo destaca de manera particular por su humildad. Con todo ello se acentúa el valor eclesial de la vida consagrada, como un camino de santidad dentro de la Iglesia y para la Iglesia. Un camino paralelo al matrimonio; de aquí que antes de escribir el *De Sancta Virginitate,* escribiera el *De bono coniugali,* dedicado a exponer la vocación cristiana al matrimonio. Todos pues dentro de la Iglesia están llamados a la santidad, cada uno en el estado de vida y vocación a la que han sido llamados, pero todos están llamados a configurarse con Cristo y a ser cómo él humilde, ya que la soberbia impide la acción de Dios en el corazón del hombre: "Todos los cristianos, por tanto, deben custodiar la humildad, ya que su nombre de cristianos viene de Cristo, cuyoEvangelionadie podrá mirar con diligencia sin verle en él como Doctor de la humildad" (*virg.* 32).

El texto paulino de Flp 2, 6 dará pie dentro de la obra *De Sancta Virginitate* a un largo discurso exhortativo sobre la humildad, en el que se van entrelazando diversos textos bíblicos. Una conclusión intermedia de este discurso se encuentra en una larga glosa del texto de Mt 11, 25-29 que a manera de oración nos ofrece san Agustín: "¿Tan excelsa cosa es ser pequeño, que si tú no nos la enseñaras, siendo tan excelso, no sería posible aprenderla? De seguro. No podrá encontrar de otra suerte su paz el alma, sino es reabsorbiendo esa inquieta hinchazón, por la que se antojaba grande a sí misma mientras para ti estaba todavía enferma" *(virg.* 35*)*.

Sólo quien es humilde, desde el conocimiento de las propias debilidades y limitaciones y se sabe necesitado de Dios, es quien puede alcanzar la santidad. El soberbio, que se encuentra hinchado de sí mismo, de su fatua vanagloria, cree que todo lo posee por sí mismo y para sí mismo y se olvida de Dios. Por ello, como dice la Escritura, Dios rechaza a los que viven en la soberbia y sin embargo concede su gracia a quienes son humildes, a quienes reconocen con verdad sus propias debilidades y limitaciones y desde ellas saben apreciar, valorar y agradecer los dones de Dios que han recibido. Por ello para san Agustín, la humildad es una de las virtudes claves y esenciales del cristiano. Para él, sólo quien viva la humildad auténtica –muy diferente de los falsos abajamientos y autoengaños en los que se encubre pereza o un deseo de vanagloria– podrá alcanzar la santidad, es decir podrá recibir la gracia de Dios en sí que prepare su voluntad para realizar lo que Dios quiere de él.

Algunos textos donde san Agustín comenta Flp 2, 6-11

*(Después de citar Flp 2, 6-11) Por nosotros se hizo ante ti vencedor y víctima, y por eso vencedor, por ser víctima; por nosotros sacerdote y sacrificio ante ti, y por eso sacerdote, por ser sacrificio, haciéndonos para ti de esclavos hijos, y naciendo de ti para servirnos a nosotros. Con razón tengo yo gran esperanza de que sanarás todas mis debilidades por su medio, porque el que está sentado a tu diestra te suplica por nosotros; de otro modo desesperaría. Porque muchas y grandes son las dolencias, sí; muchas y grandes son, aunque más grande es tu medicina. De no haberse hecho tu Verbo carne y habitado entre nosotros, con razón hubiéramos podido juzgarle apartado de la naturaleza humana y desesperar de nosotros (*Conf.* 10, 43, 69).

*(Después de citar Flp 2, 6-11) No tenía forma ni belleza para otorgarte a ti la forma y la belleza. ¿Qué forma?, ¿qué belleza? El amor de la caridad, de modo que, convertido en amante, corras, y a la vez que corres, ames. Ya tienes esa belleza, pero no te mires a ti mismo, no sea que pierdas lo que recibiste; mira a quien te hizo bello. Sé bello precisamente para que Él te ame. Tú, tu parte, centra toda tu mirada en Él, a fin de que permanezca en ti el amor casto que permanece por los siglos de los siglos (*Io. ep. tr.* 9, 9).

*Ved la humildad; el hombre comió el pan de los ángeles (…) es decir, el hombre comió el Verbo sempiterno, con quien se alimentan los ángeles, el cual es igual al Padre, porque subsistiendo en forma de Dios, no estimó rapiña el ser igual a Dios. Con él se alimentan los ángeles, pero se anonadó a sí mismo para que el hombre comiese el pan de los ángeles (...) para que se nos entregase desde la cruz la carne y la sangre del Señor como nuevo sacrificio (*en. Ps.* 33, 1, 6).

*Llegó a la extrema pobreza cuando se revistió de la forma de siervo. ¿Cuáles son sus riquezas? Tener la forma de Dios y no juzgar rapiña el ser igual a Dios. Estas son las riquezas inmensas en extremo. Luego, ¿de dónde se le origina esta pobreza?, de que se anonadó a sí mismo, tomando la forma de siervo, y de hallarse en hábito de hombre, humillándose hasta hacerse obediente hasta la muerte (...) Añade algo más que la muerte. ¿Qué más hay que añadir? La ignominia de la muerte. Por eso prosigue: hasta la muerte de cruz. ¡Suma pobreza! Pero de aquí dimanan las inmensas riquezas, porque así como se saturó de pobreza, así nos sació de riquezas con su pobreza. ¡Cuántas riquezas tiene debido a su pobreza para enriquecernos!, ¡cuán ricos nos hará con sus riquezas si nos enriqueció con su pobreza! (*en. Ps.* 68, 1, 4).

Para tu reflexión personal

–¿Sé reconocer la presencia de Dios en los diversos acontecimientos de mi vida, especialmente los más pequeños, sencillos y cotidianos, o estoy esperando los "grandes acontecimientos" para encontrarme con Dios?

–¿Acepto mi condición humana tal cual es, con sus luces y sus sombras, y pido la gracia de Dios todos los días para encauzar todo mi ser hacia la salvación, o tal vez estoy viviendo una espiritualidad "angelical", en la que me olvido que soy persona y que tengo una realidad corporal e histórica?

–¿He llegado a descubrir a la luz de la Encarnación de Cristo, que Dios sigue confiando en el hombre y que me ha asignado un papel dentro del plan de salvación, pues se trata de un proyecto de salvación encarnado en la historia y en el tiempo?

–En mis actitudes y maneras de pensar, ¿procuro ir asimilando en mi interior la mente y el corazón de Cristo o me sigo dejando llevar por los deseos del mundo y de la carne?

"Alto es Dios y se deja tocar de los humildes" (*en. Ps.* 74, 2).

EL EVANGELIO ME ATERRORIZA

2Cor 8, 9 / *Sermo* 339, 4

"Pues conocéis la generosidad de nuestro Señor Jesucristo, el cual, siendo rico, por vosotros se hizo pobre a fin de enriqueceros con su pobreza" (2Cor 8, 9).

Al llegar el aniversario de la ordenación episcopal de san Agustín, éste solía aprovechar la ocasión para reflexionar con sus fieles sobre el peso, las responsabilidades e implicaciones del ministerio episcopal. Era también su costumbre, por lo que podemos ver en el sermón 339 –que fue predicado en uno de estos aniversarios–, que san Agustín después de la celebración eucarística daba una comida, no a los potentados de Hipona ni a los personajes más ricos e influyentes, sino a los pobres de la ciudad, a quienes llama los "*compauperes*", es decir, a los que son pobres como yo.

Sin embargo, como no puede dar de comer materialmente a todos los fieles de Hipona, les ofrece algo que sí que puede ser compartido y disfrutado por todos: el pan de la Palabra de Dios, de la que él mismo se alimenta, invitando a la generosidad y a saber hacerse "pobres" siguiendo el ejemplo de Cristo. En este contexto es en el que inserta el texto de san Pablo, donde el apóstol nos invita a imitar el ejemplo de Cristo, quien "siendo rico, se hizo pobre por nosotros para que nos enriqueciéramos con su pobreza":

"(...) Hoy tengo que dar de comer a quienes son pobres como yo, y he de comportarme humanitariamente con ellos; a vosotros os ofrezco como manjar mi palabra (...) de donde saco para alimentaros a vosotros, de allí saco para alimentarme yo: soy un siervo, no un padre de familia. Os sirvo de lo mismo de lo que yo vivo: del tesoro del Señor, del banquete de aquel padre de familia que siendo rico, se hizo pobre por nosotros para que nos enriqueciéramos con su pobreza." (*s*. 339, 4)

Se trata de compartir los bienes que Dios nos ha concedido, no sólo los bienes materiales, elemento al que continuamente Agustín invita a sus fieles, sino también los bienes espirituales, a hacernos pobres como Cristo, recordando que los dones espirituales que hemos recibido no son para nuestro propio disfrute y nuestra personal satisfacción, sino para ponerlos al servicio de nuestros hermanos y enriquecerlos con el autodespojamiento y con el desprendimiento generoso de lo que el Señor nos ha otorgado. Toda esta reflexión en torno al texto paulino, leído en el contexto del aniversario de su consagración episcopal, es completada con la explicación del texto evangélico de Lc 19, 21, la parábola de los talentos que el dueño de la casa ha distribuido entre sus servidores, invitándolos a que los hagan crecer, fructificar, y donde se condena la pereza, el egoísmo o la desidia de no poner al servicio de los demás los dones de Dios, de no empobrecernos –aparentemente– al despojarnos de los bienes que consideramos falsamente nuestros –siendo que son de Dios–, para con ellos enriquecer a los que nos rodean. La conclusión de la reflexión agustiniana no puede ser más tajante y tremenda, y ha quedado acuñada en una frase lapidaria agustiniana de gran peso y que invita a hacer una profunda reflexión: "yo soy sólo quien os lo da, no quien os pedirá cuentas. Si no lo doy y me reservo el dinero, el evangelio me aterroriza" (*s.* 339, 4).

Nos debe aterrar el evangelio, pues la Palabra de Dios nos presenta la exigencia de dar fruto, de poner en juego todo aquello que hemos recibido de parte de Dios, para que crezca y florezca el reino de los Cielos dentro de nosotros, pero también dentro del corazón de todos aquellos que están cerca de nosotros. San Agustín lo repite tres veces, de modo que quede clara la necesidad de imitar el ejemplo de Cristo, presentado por el texto paulino (2Cor 8, 9), en una espiral de sentido que progresa de manera ascendente. Así habla en primer lugar de la negligencia, como una falsa justificación para la pasividad:

> (...) el evangelio me aterroriza. Podría decir: "Por qué tengo yo que hastiar a los hombres y decir a los malvados: '¿No obréis mal, vivid así, obrad de esta otra forma,

> dejad de hacer eso?' ¿Quién me manda ser un peso para los hombres? Se me ha indicado ya cómo debo vivir; viviré como me han mandado y como me han ordenado. Me responsabilizo de lo que yo he recibido; ¿por qué voy a tener que dar cuenta de los demás? El evangelio me aterroriza" (*s*. 339, 4).

En segundo lugar hay motivo para ser aterrorizado por el evangelio cuando se busca la tranquilidad y la paz, el saciar los deseos de intimidad personal con Dios olvidando la responsabilidad comunitaria que tenemos, olvidando que la vida espiritual siempre implicará un compromiso comunitario, a pesar de las fatigas, preocupaciones y cansancios: "En efecto, nadie me superaría en ansias de vivir en esa seguridad plena de la contemplación, libre de las preocupaciones temporales; nada mejor, nada más dulce, que escrutar el divino tesoro sin ruido alguno; en cambio el predicar, argüir, corregir, edificar, el preocuparte de cada uno, es una gran carga, un gran peso, una gran fatiga ¿Quién no huiría de esta fatiga? Pero el evangelio me aterroriza" (*s*. 339, 4).

Finalmente el evangelio puede aterrorizar cuando no se comparte lo que se tiene por el temor de perderlo, de la inutilidad de las acciones o de las obras que se realizan en las que se pone el "santo pretexto de la inutilidad" humana aparente, donde se olvida que cada cristiano está llamado a dar y compartir, dejando que sea Dios quien después pida cuentas de lo que se ha dado y compartido con los demás: "Frecuentemente se dice esto otro: '¿por qué lo corriges? Es tiempo perdido, no te escucha'. Pero yo, dice él, no quise dar para no perder tu dinero. Él le contestó: 'Deberías haber dado mi dinero, para exigirlo yo al volver con los intereses; te puse como dador, no como exactor. Tú debías haberte preocupado de dar, dejándome a mí el cobrar. Temiendo algo parecido, vea, pues, cada cual cómo ha recibido él" (*s*. 339, 4).

Así pues, el tema paulino de Cristo que se hace pobre para enriquecernos, encierra para san Agustín un compromiso para compartir lo que se ha recibido, reconociendo nuestra calidad de administradores de los bienes de Dios y temiendo el no hacer una buena dispensación de los mismos, pues el día del juicio final tendremos que rendir cuentas del trabajo que nos fue encomendado y de cómo nos "empobrecimos", para enriquecer a nuestros hermanos y como supimos perder para poder ganar, dando con ello vida a nuestra vida con las paradojas del evangelio.

Algunos textos donde san Agustín comenta 2Cor 8, 9

*(Después de citar 2Cor 8, 9) Porque se hizo pobre, ahora es despreciado y se dice: "Era hombre. ¿Qué era? Murió, fue crucificado. Adoráis a un hombre, ponéis la esperanza en un hombre, adoráis a un muerto. ¡Te engañas! Poned la mirada en el desvalido y pobre para que os hagáis ricos con su pobreza.

¿Qué significa atended al pobre y al desvalido? Que recibas a Cristo pobre y necesitado (...) Rico ante el Padre, pobre ante nosotros; rico en el cielo, pobre en la tierra; rico siendo Dios, pobre siendo hombre (...) Es rico porque lo es; pobre, porque así eras tú. Sin embargo, su pobreza es nuestra riqueza" (...) (*en. Ps.* 40, 1).

*Pensemos, pues, para que él apaciente nuestras almas hambrientas, pues padeció hambre por nosotros: se hizo pobre siendo rico, para que con su pobreza nos enriquezcamos (...) Por ende, si en el sermón os doy algo bueno, no lo daré yo, sino que lo dará aquel de quien todos recibimos, pues todos esperamos de él. Es tiempo de dar, pero hagamos lo que dice para que nos dé, es decir, esperemos de él. Contemplémosle con el corazón. Como ponéis los ojos del cuerpo y los oídos en mí, poned los ojos y oídos del corazón en él. Y abriendo el oído del corazón, oíd el gran misterio (*s.* 2, 6).

*Contemplad a nuestro rico que por nosotros se ha hecho pobre, siendo rico (...) Pensemos en su pobreza, no sea que quizá, siendo pobres, no la entendamos. Fue concebido en el seno virginal de una mujer, encerrado en las entrañas maternas. ¡Oh pobreza! Nace en un albergue reducido, es envuelto en pobres pañales. A continuación, el Señor del cielo y de la tierra, el creador de los ángeles, el hacedor de las cosas visibles, mama, llora, se alimenta, crece, soporta la edad y oculta la majestad. Y por fin es apresado, despreciado, azotado, escupido, abofeteado, coronado de espinas, colgado de enmadero y atravesado por una lanza. ¡Oh pobreza! He aquí la cabeza de los pobres que yo busco, de la cual es miembro el verdadero pobre (*s.* 14, 9).

*Pero el mismo que por nosotros se hizo pobre, siendo verdaderamente rico, anunció con una fiel promesa que muchos vendrían del oriente y del occidente a descansar en el reino de los cielos, no por encima de ellos o separados de ellos, sino con ellos (...) No honró Dios la pobreza por ella misma, ni condenó en el rico las riquezas, sino en aquél la piedad y éstas en la impiedad tuvieron su merecido. Para mostrarnos eso, el rico impío cayó en el tormento del fuego, pero el pobre piadoso cayó en el seno de un rico (*ep.* 1574, 23).

Para tu reflexión personal

–¿Cuántas veces me ha detenido en mis acciones y en las obras que hago en el nombre de Dios, el no ver el fruto y el afrontar el fracaso humano?

–¿Me "aterroriza" verdaderamente el evangelio, como nos dice san Agustín, porque tomo consciencia de que es verdaderamente la Palabra de Dios que me habla y me invita a un cambio en mi vida, o esa Palabra de Dios me deja indiferente?

–¿Reconozco que todo lo que soy y tengo viene de Dios o más bien me siento dueño absoluto de todo lo que Dios ha puesto en mi propio ser?

–¿Pongo a disposición de mis hermanos los dones que he recibido de Dios, o me los reservo únicamente para mí, de manera egoísta y perezosa, de tal forma que mis hermanos siempre encuentran en mí respuestas negativas, o tal vez me excuso de ayudarles por una "falsa humildad" que esconde una gran pereza?

"Todos debemos querer que todos amen a Dios con nosotros" (*doctr. chr.* 1, 30).

PADRE: CON ESTE NOMBRE SE NOS INFLAMA EL AMOR

Rm 8, 15 / *De Sermone Domini in Monte* 2, 4, 16

"Y vosotros no habéis recibido un espíritu de esclavos para recaer en el temor; antes bien, habéis recibido un espíritu de hijos adoptivos que nos hace exclamar: ¡Abbá, Padre!" (Rm 8, 15).

Siendo un joven presbítero, hacia el año 393, san Agustín predicó una serie de homilías en las que explicó el Sermón de la Montaña, según la versión de san Mateo, junto con las demás palabras de Cristo dentro de este mismo Evangelio según san Mateo (Mt 5, 1–7, 29). Dentro de este contexto del Sermón de la Montaña aparece Cristo en el evangelio enseñando el Padre Nuestro a los apóstoles (Mt 6, 9–13). San Agustín no pierde la ocasión para legarnos en esta obra suya uno de los comentarios patrísticos más hermosos en torno a la oración dominical. Además, la cita del apóstol Pablo (Gál 4, 1) le da pie para hacer en primer lugar, una profunda reflexión sobre lo que significa la paternidad de Dios, y por otra parte para explicar la enorme diferencia que existe entre Dios y sus criaturas, a través de las líneas maestras de lo que bien podría ser un relato o una novela. De este modo al hilo de la reflexión del texto paulino, san Agustín nos invita a meditar en lo que implica la realidad de la paternidad de Dios:

> (...) nosotros hemos recibido el espíritu de adopción, el cual nos hace clamar: ¡Abbá!, esto es, ¡Padre! (...) Padre nuestro, con este nombre se inflama el amor, pues, ¿qué cosa puede ser más amada de los hijos que su Padre? Y al llamar los hombres a Dios Padre nuestro, se aviva el afecto suplicante y cierta presunción de obtener lo que pedimos, puesto que antes de pedir cosa alguna hemos recibido este don tan grande como es el que se nos permita llamar a Dios Padre nuestro. En efecto, ¿qué cosa no concederá ya Dios a los hijos que suplican, habiéndoles antes otorgado el ser sus hijos? *(s. dom. m.* 2, 4, 16)

Todos estos dones de Dios, le dan la oportunidad a san Agustín para narrarnos, como decíamos, las líneas maestras de lo bien que podría haber sido una novela o un relato corto donde quedara acentuada la indignidad del hombre y por otra parte la grandeza de Dios. De este modo el que los hombres le puedan llamar a Dios Padre, a pesar de sus pecados y de su indignidad, es similar al hecho que un hombre de una gran dignidad y de un gran poder y nobleza, le diera a un plebeyo el permiso para llamarle "padre". San Agustín, ciertamente parte de un concepto romano, donde la sociedad se encontraba pétreamente estratificada, de tal manera que no había ninguna posibilidad de relación o de contacto entre las diferentes clases, y de manera especial entre los individuos que representan, de algún modo, a estas clases dispares, donde el inferior no se atrevería ni siquiera a dirigirle la palabra al que pertenecía a una clase superior (*reg.* 1, 6). Valiéndose de esas categorías sociales de su época, san Agustín nos narra el guión de una historia:

> Porque si un plebeyo de edad madura fuera autorizado por un senador para llamarle padre, sin duda alguna temblaría y no se atrevería fácilmente a hacerlo, teniendo en cuenta la inferioridad de su estirpe, la indigencia de riquezas y la vileza de una persona plebeya; pero cuánto más habrá de temblar uno de llamar Padre a Dios si la fealdad de su alma y la maldad de sus costumbres son tan grandes que provocan a Dios para que las aleje de su unión (...)? (*s. dom. m.* 2, 4, 16).

La historia sigue, pero la continuación es todavía más radical, posiblemente porque al momento de predicar, san Agustín deseaba acentuar aún más las distancias. Ahora el plebeyo se convierte en un mendigo, quien es el que se presenta delante del senador, hombre influyente y poderoso. Podemos imaginar la escena; un mendigo andrajoso que se presenta delante de un senador lujosamente vestido y acompañado de un gran prestigio social. ¿Puede salir de los labios del mendigo la palabra "padre" para dirigirse al senador? Y aunque el mendigo pudiera llegar a balbucirla, el senador todavía podía fijarse en la miseria del mendigo y tomar consciencia de que él también, a pesar de su riqueza y de la nobleza de su linaje, como ser humano, también podría llegar a caer en la misma miseria que el mendigo. Sin embargo en el caso de Dios, aunque pueda contemplar la miseria de los hombres, como el senador contempla la del mendigo, no puede caer en estas miserias humanas, sino que ante ellas se compadece como Padre, pues el sentimiento de la auténtica compasión ocupa un lugar privilegiado entre los sentimientos del Reino de los cielos y de los sentimientos humanos redimidos: "Después de todo el senador despreciaría en el mendigo aquello a lo que también él puede llegar por la mutabilidad de las cosas humanas; pero Dios nunca puede caer en costumbres viciosas. Además agradezcamos a su misericordia que para ser Padre nuestro sólo nos exige aquello que a ningún precio, sino con buena voluntad puede adquirirse" (*s. dom. m.* 2, 4, 16); sin embargo, en este segundo caso no sólo queda acentuada la gran distancia que hay entre uno y otro, sino que se subraya el gesto gracioso de parte de Dios, con una justa invitación a la humildad y a la necesaria fraternidad, como conclusión de su primera reflexión en torno a las primeras palabras del Padre nuestro: "Se amonesta aquí también a los hombres ricos o de noble estirpe según el mundo para que cuando se hicieren cristianos no se ensoberbezcan contra los pobres y plebeyos, porque justamente con ellos, dicen a Dios Padre nuestro, lo cual no pueden decir verdadera y piadosamente si no se reconocen como hermanos" (*s. dom. m.* 2, 4, 16).

Las palabras recogidas por el apóstol Pablo en la carta a los Gálatas, no pueden ser vividas desde una perspectiva agustiniana sin una toma de consciencia y un doble compromiso: es preciso percatarse de la propia indignidad y de la infinita distancia que nos separa de Dios. Por otra parte, poder llamar a Dios Padre, implica vivir como dignos hijos de Dios, desde un claro propósito de santidad, y por otra parte implica aprender a reconocer en cada ser humano, a un hermano, a otro hijo de Dios.

Algunos textos donde san Agustín comenta Rm 8, 15

*(Después de citar Rm 8, 15) Clamemos, pues, con espíritu de caridad, hasta que lleguemos a la herencia en la que hemos de recalar eternamente. Seamos pacientes con un amor liberal, no con un temor servil. Clamemos mientras somos pobres hasta que por aquella herencia nos hagamos ricos. (...) Así no perecerá nunca la paciencia de los pobres de Cristo, que han de ser enriquecidos con su herencia no porque allí se nos mande tolerar con paciencia, sino

porque a causa de lo que aquí hemos sufrido con paciencia, allí gozaremos de la bienaventuranza eterna (*pat.* 26).

*(Después de citar Rm 8, 15) Con lo que nos da a entender que es don de Dios, a fin de que con corazón sincero y animados por su Espíritu oremos a Dios nuestro Señor. Vean, pues, cómo se engañan los que piensan que pedir, buscar y llamar a la puerta son efectos de nuestra voluntad y no de la gracia de Dios (...) y no quieren comprender que (...) orar es dádiva gratuita del Señor, puesto que por su Espíritu de adopción, que hemos recibido clamamos: Abbá, ¡Padre! (*persev.* 64)

*Este es aquel Espíritu en el que clamamos: ¡Abbá, Padre!, y, por lo mismo, Él nos hace pedir a quien deseamos recibir, Él nos hace buscar al que deseamos encontrar, Él nos hace llamar al que nos proponemos llegar (...) ¿Cómo es que clamamos nosotros, si Él es el que clama en nosotros, si no es porque nos hizo clamar al comenzar a habitar en nosotros? También hace, tan pronto como le recibimos, que, pidiendo, llamando y buscando, se exija su recepción con mayor abundancia, pues ya se pida una buena vida o se pida el bien vivir, cuantos obran movidos por el espíritu de Dios son hijos de Dios (*en. Ps.* 118, 14, 2)

*Que cada uno examine su corazón y vea si dice con sincero amor desde lo más íntimo de su corazón: Padre. No se pregunta ahora por el grado de esa caridad: si es grande, pequeña o regular. Sólo pregunto si existe. Si ya ha nacido, crecerá ocultamente, con el crecimiento llegará a la plenitud, y en esa plenitud permanecerá. No se da el que tras alcanzar la plenitud decline hacia la vejez y que la vejez la conduzca a la muerte; si llega a la plenitud es para permanecer en ella eternamente (*s*. 156, 16).

Para tu reflexión personal

–¿Has tomado consciencia de la grandeza que implica el poder llamar a Dios Padre? ¿Lo piensas cuando rezas el Padre nuestro?

–Llamar a Dios Padre, conlleva, entre otras cosas, reconocer a todo hombre como nuestro hermano en Cristo. ¿Tengo estos ojos de la fe y actúo de acuerdo a ellos o, más bien, veo en cada persona un enemigo, un competidor, alguien que me puede dañar?

–Llamar a Dios Padre, implica vivir con una confianza infinita, sabiendo que nuestra vida y nuestro destino se encuentra en sus manos. ¿Vivo con esta confianza filial y la tónica de mi vida es la de la alegre confianza o, más bien, me dejo llevar por los acontecimientos negativos y vivo con desesperación, angustia y tristeza?

–San Agustín, nos invita a la reflexión sincera: "Que cada uno examine su corazón y vea si dice con sincero amor desde lo más íntimo de su corazón: Padre". ¿Lo digo con sincero amor, lo digo sólo por costumbre, lo recito porque lo sé de memoria, pero no me detengo a considerar lo que esto implica?

"Ante todo, esto es lo que he aprendido en la Iglesia católica: a no poner mi esperanza en el hombre" (*en. Ps.* 36, 3, 20).

EL ÚLTIMO VERSO TIENE SIETE PIES

1Cor 4, 1. 16 / *Ep.* 261

"Por tanto, que nos tengan los hombres por servidores de Cristo y administradores de los misterios de Dios (...) Os ruego, pues, que seáis mis imitadores" (1Cor 4, 1. 16).

En ocasiones se olvida que san Agustín fue admirado y famoso ya en su tiempo. Sus obras se difundieron por todo el Mediterráneo y sabemos que llegó a ser una personalidad conocida en el mundo de entonces. De este modo serán muchos los que escriban a Agustín para manifestarle su admiración y para pedirle que les escriba, que los oriente en el camino de la perfección cristiana. Este es el caso de Audaz, una persona que, haciendo honor a su nombre, se dirige a san Agustín con audacia con una carta llena de elogios, recogida dentro del epistolario de san Agustín con el número 260. La respuesta de san Agustín será clara y tajante. No hay que admirarlo a él, ni intentar imitarlo a él, sino a Cristo. Aquí es donde entra el texto paulino de 1Cor 4, 1. 16: "Sed imitadores míos como yo lo soy de Cristo".

De este modo san Agustín le hace ver que él sólo es un servidor de la Palabra y de los misterios de Dios. Para explicar esta función pastoral alude al texto de 1Cor 9, 17, donde Pablo dice que si su predicación fuera por gusto, esa sería su paga, pero que si lo hace a pesar de no gustarle, es que lo hace porque ha recibido un encargo. Lo mismo le sucede a san Agustín: "Soy dispensador de la salud eterna con todos los demás consiervos míos. Si voluntariamente lo hago, recibo galardón; y si lo hago a la fuerza, soy un mero dispensador; pero el ser dispensador de la salud por la palabra y el sacramento, no es todavía el ser partícipe de ella" (*ep.* 261, 2).

Además, lo que debe hacer Audaz es imitar a Cristo, pues dentro de los pastores de la Iglesia hay algunos que intentan imitar a Cristo y son buenos pastores, pero hay otros que no lo imitan y que viven como malos pastores, sin embargo, la palabra también es predicada y difundida a pesar de estos malos pastores. El motivo de la imitación de Cristo da pie a hablar de la presencia dentro de la Iglesia de buenos y malos pastores (así como de buenos y malos creyentes: *ep.* 53, 6), cosa que hará también san Agustín en otros textos suyos muy conocidos (*s.* 46, *s.* 355, etc.). En este texto, Agustín expresa concretamente su deseo de ser contado entre los buenos pastores, y le invita a Audaz a imitar a los buenos pastores de la Iglesia, aunque manteniendo el alejamiento de su propia persona, ya que él no se propone como modelo en ningún momento: "Si (la palabra) no fuese dispensada mediante los buenos, no diría el apóstol: 'Sed mis imitadores como yo lo soy de Cristo': pero si no fuese dispensada también mediante los malos, no diría de algunos el Señor: 'Haced lo que dicen, pero no hagáis lo que hacen; porque dicen y no hacen'. Son, pues, muchos los dispensadores por cuyo ministerio se llega a la salud eterna; pero se busca quién será hallado fiel entre los dispensadores. Quiera aquel que no se engaña contarme en el número de los dispensadores fieles" (*ep.* 261, 2).

Agustín por otra parte le invita a que no sólo busque imitar a Cristo, sino que beba en la misma fuente de la sabiduría divina, de la que sus obras son sólo un tenue reflejo y una orientación que no se señala a sí misma, sino que conduce al encuentro con Dios, quien es la Sabiduría en persona. En ello manifiesta san Agustín una gran humildad y sus comentarios siguen siendo una larga glosa del texto de 1Cor 4, 1 "Sed mis imitadores como yo lo soy de Cristo": "Por lo tanto, hermano carísimo y dulcísimo, apaciéntate mejor en el Señor con las flores de la sabiduría y abrévate con el riego de la fuente viva" (*ep.* 261, 3).

Al final de la carta, san Agustín invita a Audaz a darse cuenta de que en la búsqueda de las verdades divinas no necesita de cartas, sino de estudio y de encuentro. De hecho san Agustín le invita a que vaya a verle, que tenga un encuentro con él y que permanezca en su compañía algún tiempo para que aprenda realmente. Sin embargo, san Agustín se percata, asimismo, del poco deseo que Audaz tiene de ello, pues lo que realmente quiere es saciar su curiosidad exclusivamente con cartas, posiblemente buscando fama y renombre al formar parte de los corresponsales de san Agustín, elemento que en parte consiguió pues su nombre, de otra manera perdido en el devenir de la historia, se ha conservado por estas dos epístolas agustinianas: "No esperes saciar tus deseos por medio de cartas. O ven acá y toma lo que yo pueda darte, pues pienso que no quieres venir porque no quieres tomar. ¿Es acaso difícil que con la ayuda de Dios venga aquí un hombre libre de todo compromiso local, para estar conmigo largo tiempo o para volverse con brevedad?" (*ep*. 261, 3).

Como dato anecdótico que cierra esta interesante glosa del texto de 1Cor 4, 1, Audaz le había enviado en su carta unos versos a san Agustín. Éste le hace ver un error métrico en el último de los versos, demostrándole que a pesar de sus ocupaciones pastorales, no olvida la formación gramatical y retórica recibida en su juventud y, como se dice coloquialmente, que "antes de ser fraile, había sido cocinero", es decir que antes de ser monje y obispo, había sido profesor de retórica y no olvidaba esta ciencia a pesar de los años. Así pues dentro del anciano obispo aún vivía el joven rétor y gramático que recordaba cómo se cuentan los "pies" poéticos, es decir los diversos metros poéticos latinos: "El quinto y último verso tiene siete pies. No sé si el número engañó tu oído, o has querido probar si yo recuerdo todavía estas cosas para jugarlas, pues quizá las han olvidado ya los que un tiempo las estudiaron y después aprovecharon mucho en los estudios eclesiásticos" (*ep*. 261, 4).

San Agustín no olvida su formación retórica, cuenta bien los pies poéticos y nos invita a tener también un "buen pie moral", a ser como el santo mártir púnico Nanfamón, del que se ríe su antiguo maestro pagano Máximo de Madaura en la carta 16 del epistolario agustiniano. El viejo maestro de Madaura, Máximo se burla de este nombre púnico, mientras que san Agustín, le invita a respetarlo y a imitarlo, recordándole a su viejo maestro que el nombre de Nanfamón, a pesar de que para los oídos de un latino pueda sonar mal, en púnico significa "el de buen pie", porque donde pisa va llevando la felicidad y la prosperidad: "(...) ¿qué otra cosa significa Nanfamón, que hombre de buen pie, cuya llegada trae alguna suerte de felicidad? Así solemos decir que alguien 'entró con pie derecho' cuando su llegada es preludio de prosperidad" (*ep*. 17, 2).

Es preciso pues, contar bien los pies poéticos y merecer por la conducta el sobrenombre de "Nanfamón", pues sabemos llevar la felicidad y la prosperidad propias de Dios a todos los lugares a donde vamos.

Algunos textos donde san Agustín comenta 1Cor 4, 16

*Sed mis imitadores como yo lo soy de Cristo (1Cor 4, 16) (...) Nosotros trabajamos por ser esto (...) si hablo cosas buenas y las hago, imítame; si no hago lo que digo, tienes el consejo del Señor: "Haz lo que digo, no hagas lo que hago, pero no te apartes de la cátedra católica". He aquí que en nombre de Cristo hemos de subir la cátedra y decir muchas cosas (...) Esto, ante todo, lo aprendí en la Iglesia católica: a no poner mi esperanza en el hombre (*en. Ps.* 36, 3, 20)

*Sed imitadores míos, como yo lo soy de Cristo. Así los que ya tienen los pies colocados sobre la piedra son modelo de los fieles. Pues el mismo apóstol dice a Timoteo: "Sé modelo de los fieles" (1Tim 4, 12). Los fieles son los justos que, poniendo la mirada en los que les precedieron en el bien, los imitan siguiéndolos. ¿Cómo los siguen? Los justos verán y temerán. Verán y temerán seguir las sendas malas al ver a todos los mejores que eligieron caminos buenos (...) Aunque imiten a éstos, sin embargo, ponen su esperanza en Aquél de quien también estos mismos recibieron la gracia de ser tales (*en. Ps.* 39, 6).

*Nosotros decimos: "¿Somos santos? Obra es de Dios. ¿Malos? A él principalmente toca saberlo"; seamos lo que seamos vosotros no pongáis en nosotros vuestra esperanza. Si somos buenos, haced lo escrito: "Sed imitadores míos, como yo lo soy de Cristo" (1Cor 4, 16). Si malos, ni aun así estáis solos y desorientados, oíd al que dice: "Haced lo que os dicen; no hagáis lo que hacen" (Mt 23, 3). (...) ¿Dependerá de ti mi vida? ¿Estará vinculada a ti mi salvación? ¿Hasta ese grado he olvidado mi fundamento? ¿Acaso no era la piedra Cristo? (1Cor 10, 4). Quien edifica sobre piedra, ¿no está seguro contra vientos, ríos y lluvia? (Mt 7, 25) Ven, pues, si quieres, a estar conmigo sobre la Piedra, y no quieras hacerme sustituir a la Piedra (*s.* 129, 8).

*Lo que voy a decir es el motivo por el que ayer quise y rogué a vuestra caridad que asistieseis hoy en mayor número. Vivimos aquí con vosotros y por vosotros, y nuestro propósito y deseo es vivir con vosotros por siempre junto a Cristo. Creo que ante vosotros está nuestra vida, de forma que hasta podemos atrevernos a decir, mantenidas las distancias, lo que dijo el Apóstol: Sed imitadores míos, como yo lo soy de Cristo. Y por eso no quiero que ninguno de vosotros encuentre una excusa para vivir mal (...) Mirando a nosotros mismos, nos basta nuestra conciencia; mas, en atención a vosotros, nuestra fama no sólo ha de ser sin tacha, sino que debe brillar entre vosotros (*s.* 355, 1).

Para tu reflexión personal

–¿Mi fe es una realidad viva o sólo son un conjunto de conocimientos y de elementos que he aprendido de memoria pero que no comprometen ni mueven mi vida?

–¿Vivo mi vida como una continua imitación de Cristo, siendo él mi único modelo o, me propongo otros modelos de vida que están en abierta contradicción con sus caminos y enseñanzas?

–Mi vida espiritual, ¿nace de un profundo deseo de Dios, de una respuesta a la gracia de Dios que actúa en mi corazón o es, más bien, una manera de sentirme bien conmigo mismo y de ganar la admiración de los demás?

–¿Soy un "Nanfamón" que nos decía san Agustín, aquel que lleva la felicidad, el bien, la paz de Dios a donde quiera que pone su pie o, por el contrario, soy sembrador de discordias y rencillas en donde quiera que me encuentro?

"Dame a conocer Señor el camino por donde debo andar, porque he levantado a ti mi alma (...) como un vaso la he traído a la Fuente; lléname, pues, porque he elevado mi alma hasta ti" (*en. Ps.* 142, 15).

LOS SOLDADOS DE CRISTO TRIUNFAN

2Cor 11, 2; Ef 4, 13; 4, 24 /
Sermo 281; *Sermo Erfurt* 1

Dentro de los sermones recientemente descubiertos de san Agustín (Los seis sermones *Erfurt* –por ser hallados en el fondo "Amploniano" de la Biblioteca de la ciudad alemana de *Erfurt*–, dados a conocer en abril de 2008) hay uno dedicado a las mártires de Cartago, Perpetua y Felicidad.

Lo que se ha descubierto es la parte que faltaba del actual sermón 282, pues la nueva sección descubierta encaja perfectamente con el principio y el final del mencionado, como la pieza que faltara a un puzzle. San Agustín dedicó tres predicaciones –de acuerdo con los sermones que hoy tenemos– a las santas Perpetua y Felicidad. En ellos juega san Agustín con diversas imágenes sacadas particularmente de la *passio*, del relato del martirio de ambas santas en Cartago en el año 203. Posiblemente el hecho más sorprendente de la *passio* de Perpetua y Felicidad sea el que Vibia Perpetua –joven mujer de noble estirpe–, unos días antes de ser martirizada tuvo tres sueños. En uno de ellos, Perpetua sueña que, llevada de la mano por uno de los diáconos de Cartago, es conducida al anfiteatro, donde en lugar de enfrentarse con unas fieras salvajes –a las que había sido condenada por ser cristiana–, debería luchar contra un egipcio de aspecto horrible (figura de Satanás). En este sueño, Perpetua vio cómo de pronto el diácono la dejaba para que se acercaran dos ángeles, quienes la comenzaban a ayudar y a asistir como es la costumbre entre los luchadores en la arena, ungiendo con aceite su cuerpo (sin duda para hacer una alusión al sacramento de la confirmación). Cuando ella se veía a sí misma desnuda para ser ungida, según narra la *passio*, de pronto se dio cuenta de que había dejado de ser mujer para convertirse en un hombre, pues su cuerpo desnudo presentaba todas las características anatómicas propias del varón. Este detalle es el que llama la atención de san Agustín, entre otros, porque comentará que esta transformación realizada en el cuerpo de Perpetua, según lo que ella sueña, no es otra cosa que una alusión a Cristo, el varón del que todos los cristianos formamos parte, y al que debemos unirnos íntimamente para vencer al diablo.

Antes de referir el texto agustiniano, conviene que refiramos el final del sueño de Perpetua, según lo narra su *passio*. Después de transformarse en varón y recibir la unción de los ángeles, Perpetua se enfrenta con el temible egipcio –quien en lugar de ungirse con aceite se revuelca sórdidamente en la arena–, y golpeándolo con los talones en la cara, comienza a vencerlo, hasta que puede hacer que caiga de bruces en la arena, y es entonces cuando, una vez más con los talones, le pisa la cabeza, haciendo con ello una alusión al texto del Gén 3, 15, donde la mujer le debe pisar la cabeza a la serpiente mientras ésta busca morderle el talón. Después, Perpetua recibió la palma de la victoria, saliendo del anfiteatro por la puerta de los vivos, la propia de los vencedores. Ciertamente el sentido del sueño es que ella en su martirio debe vencer a Satanás y al poder del mundo, en el sueño se le revela que la gracia de Dios la va a capacitar para que ella salga vencedora de la prueba y sea coronada con el martirio y la recompensa de parte de Dios.

San Agustín hace en el sermón 281, alusión al texto de 2Cor 11, 2: "Quise desposaros con un único varón como una virgen casta", diciendo que el varón que fortalece a los mártires es el mismo Cristo, ya que las mártires Perpetua y Felicidad, a pesar de ser mujeres, adquieren de Dios la fortaleza varonil de Cristo. Además así como por la mujer había caído el hombre, ahora por medio de unas mujeres el enemigo es vencido: "Estaban bien unidas al único varón, al cual se presenta la Iglesia como única virgen casta. Estaban bien unidas, repito, a aquel varón de quien les venía su fortaleza para resistir al diablo, de forma que, a pesar de ser mujeres, derribaban al enemigo que mediante una mujer había postrado al varón" (*s.* 281, 1).

Poco después hace alusión san Agustín al combate de Perpetua con Satanás en la figura del terrible egipcio, aludiendo al texto de Ef 4, 13, llegar a ser como el varón perfecto, llegar a la medida de Cristo en su plenitud: "Es un placer para la mente piadosa contemplar un espectáculo tal cual le fue revelado a la bienaventurada Perpetua, según narración propia, a saber: que convertida en varón, estuvo luchando con el diablo. Mediante aquel combate, también ella corría hasta llegar a ser varón perfecto. Hasta la medida de la edad de la plenitud de Cristo" (*s.* 281, 2).

En el sermón *Erfurt* 1 –uno de los sermones recientemente descubiertos–, se hace alusión al cambio de sexo de Perpetua, para señalar que el cristiano, independientemente de su condición genérica debe realizar un triple movimiento. En primer lugar debe despojarse de todo lo mundano, de todo vestigio de pecado, es decir despojarse del mal y de sus apetencias carnales. En segundo lugar debe revestirse de Cristo, el varón perfecto, y finalmente debe vivir en unidad dentro del cuerpo de este varón perfecto que es la Iglesia: "En esta lucha Perpetua, tal y como le fue revelado a ella por medio de una visión, convertida en varón venció al diablo, desnudada del mundo y revestida de Cristo, en la unidad de la fe, se reconoce hija de Dios en el hombre perfecto" (*s. Erfurt* 1, 3).

Y así como san Pablo en este mismo contexto de la carta a los Efesios, hace la enumeración de las armas que es preciso usar en el combate de la fe (Ef 6, 11) del mismo modo lo hace san Agustín en este sermón nuevo, *Erfurt* 1, al decir que con ese grupo de armas el mártir está dispuesto a vencer a su enemigo, no matando, sino muriendo por Cristo: "(...) venciendo con el espíritu, la carne; con la esperanza, el temor; con la fe, al diablo; con la caridad, al mundo. Con estas armas el ejército de nuestro rey permanece invencible. Con estas armas los soldados de Cristo triunfan, no conservando todos los miembros de su cuerpo, sino siendo descuartizados, no matando, sino muriendo" (*s. Erfurt* 1, 3).

Así pues, el mártir de Cristo y a imitación suya también todo cristiano debe despojarse del hombre viejo y revestirse del hombre nuevo en Cristo, viviendo en la unidad de la Iglesia y ciñéndose las armas propias del soldado de Cristo, para obtener la victoria en la lucha contra el enemigo, como lo hicieron las jóvenes madres mártires Perpetua y Felicidad.

Escuchemos lo que san Agustín nos dice de santa Felicidad:

"Felicidad, en cambio, se hallaba encinta en la prisión. Al dar a luz atestiguó con sus gemidos de mujer su condición femenina. No estaba ausente el castigo de Eva, pero estaba presente la gracia de María. Se le exigía lo que le correspondía por ser mujer, pero la sostenía el alumbrado por una Virgen. Finalmente, tuvo lugar el parto, maduro ya a falta de un mes. Fue obra de Dios el que se viese libre, antes de tiempo, del peso de su estado, para que en su momento no sufriese dilación el honor del martirio. Fue obra, repito, de Dios el que la criatura viese la luz cuando no le correspondía, permitiendo así que no se privara a tan gran asamblea de la merecida Felicidad; pues, de haber faltado ella, se tendría la impresión de que a los mártires les faltaba no sólo una compañera, sino hasta el mismo premio del martirio. El nombre de ambas mujeres designaba el premio de todos ellos. En efecto, ¿por qué sufren los mártires todos los tormentos sino para alcanzar la gloria de la perpetua felicidad? Ellas recibieron por nombre de aquello a lo que todos estamos llamados. De esta manera, aunque era grande el grupo de los combatientes, en los nombres de estas dos mujeres está significada la perennidad y sellada la festividad de todos" (*s.* 281, 3).

Para tu reflexión personal

–¿Doy testimonio con mi vida de la fe que tengo en Cristo o me avergüenzo de ser cristiano, porque en muchas ocasiones es preciso ir contra la corriente?

–¿Tomo consciencia de que mi vida es una lucha contra una serie de elementos que intentan apartarme del camino de Dios y que para salir victorioso en esta batalla necesito pedir todos los días la gracia de Dios viviendo una intensa oración, una vida sacramental fervorosa y un apostolado activo?

–Para san Agustín el cristiano, particularmente el mártir, es soldado de Cristo, que debe luchar contra todo aquello que es contrario a los principios y valores de la Ciudad de Dios. ¿Procuro entrenarme y estar alerta para el combate cristiano que debo afrontar o, más bien, me dejo llevar y me dejo debilitar por las pasiones desordenadas y por una vida más mundana que cristiana?

–¿Vivo en un proceso de conversión continua, en un proceso incesante de autodespojamiento del hombre viejo para revestirme sin cesar del hombre nuevo en Cristo o me he dejado dominar por algún elemento que en estos momentos está impidiendo la acción de Dios en mi interior?

"La vida de la vida mortal es la esperanza de la vida inmortal" (*en. Ps.* 103, 17).

LA RAÍZ DE LA CARIDAD

1Cor 13, 1-8 / *Ep. Io. tr.* 8, 9

"Aunque hable las lenguas de los hombres y de los ángeles, si no tengo caridad, soy como bronce que suena o címbalo que retiñe.[2] Aunque tenga el don de profecía, y conozca todos los misterios y toda la ciencia; aunque tenga plenitud de fe como para trasladar montañas, si no tengo caridad, nada soy.[3] Aunque reparta todos mis bienes, y entregue mi cuerpo a las llamas, si no tengo caridad, nada me aprovecha.[4] La caridad es paciente, es amable; la caridad no es envidiosa, no es jactanciosa, no se engríe;[5] es decorosa; no busca su interés; no se irrita; no toma en cuenta el mal;[6] no se alegra de la injusticia; se alegra con la verdad.[7] Todo lo excusa. Todo lo cree. Todo lo espera. Todo lo soporta.[8] La caridad no acaba nunca" (1Cor 13, 1-8).

A san Agustín se le ha conocido a lo largo de la historia como el doctor de la caridad, ya que sus escritos están llenos de alusiones a esta virtud teologal, esencia de la vida cristiana. De este modo en sus obras cita diversos pasos paulinos para hablar y explicar lo que es la caridad. Entre estos textos se encuentra el comentario repetido que san Agustín dedica al conocido "himno de la caridad" de la primera carta a los Corintios (1Cor 13, 1–13).

En sus comentarios, san Agustín hace una interesante invitación a revisar las intenciones de la actuación, pues como afirma rotundamente el texto paulino, "si me falta el amor, no me sirve de nada" (1Cor 13, 3). Las obras exteriores de los cristianos tienen ante Dios un valor determinado por el amor con el que han sido hechas, o bien, como explica san Agustín, si nacen de la raíz del amor. Cualquier otra raíz o fundamento que puedan tener las obras exteriores, las puede corromper a pesar de que sean obras llamativas y admirables, como las que enumera san Pablo en el versillo 3 del capítulo trece: entregar el propio cuerpo a las llamas, repartir en limosnas para dar de comer a los pobres todo lo que tengo, etc. No importa la apariencia o la grandiosidad de la obra, sino la fuente de la que ha manado. La soberbia acecha a las buenas obras para que se pierdan, pues es un auriga que dirige el carro del alma del hombre no a la meta final que es Dios, sino al abismo de su perdición: "Ved cuantas obras ejecuta la soberbia. Considerad cuan semejantes y como iguales a la caridad. La caridad alimenta al hambriento; también la soberbia; la caridad para alabar a Dios, la soberbia, para alabarse a sí misma. Viste la caridad al desnudo, también la soberbia le viste. Ayuna la caridad, ayuna también la soberbia (…) ¡Ay del hombre que tiene a la soberbia por auriga! Necesariamente será arrastrado al precipicio" (*Io. ep. tr.* 8, 9).

Por este peligro, san Agustín al comentar a san Pablo nos invita, como en muchos de sus escritos, a entrar en el interior, a examinar con seriedad la raíz de la que brotan las acciones, para evitar que la jactancia o la soberbia las hagan perecer, pues delante de Dios no cuentan los resultados y el éxito aparente, sino las motivaciones y el amor con el que se pueda actuar. De otro modo, la conclusión paulina y agustiniana no puede ser más rotunda, haga lo que haga, si no es por amor, "no me sirve de nada":

> Si distribuyera todos mis bienes a los pobres y entregara mi cuerpo a las llamas sin tener caridad, de nada me serviría. Luego la divina Escritura nos llama al interior apartándonos de la jactancia de estas apariencias externas; nos invita a entrar en el interior dejando las exterioridades que se ofrecen a las miradas de los hombres. Entra en tu conciencia y pregúntala. No atiendas a lo que florece fuera, sino a la raíz que está dentro de la tierra. ¿Se halla enraizada la concupiscencia? Puede tener apariencia de buenas obras, pero no pueden existir allí las buenas obras. ¿Se halla enraizada en la caridad? Puedes estar seguro, de allí no puede proceder nada malo (*Io. ep. tr.* 8, 9).

En un mundo que se fija demasiado en las apariencias y que da mucha importancia a las formas exteriores, el comentario agustiniano a las palabras de san Pablo es singularmente significativo, ya que se trata de vivir una vida cristiana basada no en las apariencias o en los elementos externos, sino desde el centro y la raíz, buscando ir 'hacia dentro', hacia lo más profundo de las acciones para descubrir su verdadero móvil y si éste no es el amor, darnos cuenta de nuestro error y reorientar las acciones desde el amor: *"Volved al interior hermanos, y en todas las cosas que hagáis, tened a Dios por testigo"* (*Io. ep. tr.* 8, 9).

El comentario agustiniano al texto paulino no es otra cosa que una invitación a una profunda revisión interior, a ver si la raíz y el fundamento de todas las acciones y obras es la caridad o si tal vez, llevados por el impulso y la moda del mundo nos movemos más por las apariencias, por el ser vistos por la gente y nos olvidamos de la importancia del amor, que da valor y sentido a las obras y que debe convertirse en el motivo único para actuar.

Algunos textos en los que san Agustín explica 1Cor 13, 3

*Es evidente, pues, hermanos míos, que nada les vale a éstos guardar la virginidad, ni tener continencia, ni dar limosnas; nada les vale todo esto, que tanto alaba la Iglesia, porque hacen pedazos la unidad, esto es, la túnica aquella de la caridad. ¿Qué hacen? Entre ellos hay, sí, muchos elocuentes, que son grandes oradores, verdaderos torrentes de elocuencia. ¿Hablan acaso angélicamente? Que oigan al amigo del Esposo, que tiene celo del bien de ése, no del suyo propio: Aunque hable las lenguas de todos los hombres y ángeles, si no tengo caridad, soy como un bronce que suena y como campana que retumba (1Cor 13, 1) (*Io. eu. tr.* 13, 15).

*Fuerte cosa es el amor. Él es nuestra virtud porque, si no lo tenemos, de nada nos sirve lo que tengamos fuera de él, pues el apóstol dice: "Si hablare las lenguas de los hombres y de los ángeles y no tuviese caridad o amor, me hice instrumento de bronce que suena o címbalo que tañe"; y añadió algo de mucho valor: "Y si distribuyese toda mi hacienda y si entregase mi cuerpo a las llamas, si no tuviere caridad, de nada me sirve". Por tanto, si existe sólo la caridad, aun cuando no halle nada que pueda distribuir a los pobres, amé. Dé únicamente un vaso de agua fría, y se le imputará tanto como a Zaqueo, que dio la mitad de su patrimonio a los pobres. ¿Cómo es esto? Él da poco, Zaqueo mucho, y sin embargo, ¿se le imputa tanto como a Zaqueo? Igual ciertamente. El poder es desigual, pero la caridad igual (*en. Ps.* 121, 10).

*Se llamaron sendas de Dios porque hay muchos preceptos; y como todos estos preceptos se reducen a uno puesto que el cumplimiento de la ley es la caridad, por lo mismo, estos caminos en muchos preceptos se reintegran en uno y se denomina uno, porque nuestro camino es la caridad. Veamos si la caridad es camino. Oigamos al apóstol: "Todavía os voy a enseñar un camino muchísimo más excelente". ¿A cuál llamas, ¡oh Pablo!, camino excelentísimo?: (cita 1Cor

13, 1-3). Luego llamó a la caridad camino excelentísimo. Este excelso camino, hermanos, es maravilloso porque es encumbradísimo pues sobresale lo que es excelente. Ninguna cosa hay más excelente que el camino de la caridad, y sólo andan por él los humildes. A estas sendas las denominó preceptos de caridad. Tú, dice, conociste mis sendas; tú conociste que lo que padezco por ti lo padezco por amor; tú conociste que la caridad que hay en mí tolera todas las cosas, tú conociste que, si entrego mi cuerpo a las llamas, es porque tengo aquella llama sin la cual de nada aprovecha al hombre aquello (*en. Ps.* 141, 7).

*Si tuviera, dice el don de profecía, y conociera todos los misterios y toda la ciencia; si tuviera fe hasta trasladar los montes, si no tengo amor, nada soy. (...) Si tuviera todas estas cosas y no tengo a Cristo nada soy. Nada soy, dijo. Entonces, ¿no es nada la profecía? ¿No es nada el conocimiento de los misterios? No es que estas cosas sean nada; soy yo quien aunque tenga tales cosas, si no tengo amor, nada soy. ¡Cuántos son los bienes que nada aprovechan por faltar el único bien! Si no tengo amor, aunque reparta limosnas a los pobres, aunque llegue por la confesión del nombre de Cristo hasta la sangre, hasta el fuego –todo esto puede hacerse también por amor de la gloria–, se trata siempre de cosas vanas. Puesto que es posible realizar cosas vanas por amor de la gloria y no por el amor exuberante de la piedad, menciona también esas cosas. Óyelas: "Si distribuyere todo lo mío para uso de los pobres y si entregare mi cuerpo para que arda, si no tengo amor, nada me aprovecha. Este es el vestido nupcial. Interrogaos a vosotros mismos; si lo poseéis, estáis seguros en el banquete del Señor. (...) Amad al Señor y en él aprended a amaros a vosotros, para que cuando, amando al Señor, os améis a vosotros, tengáis la seguridad de que amáis al prójimo como a vosotros mismos" (*s.* 90, 6).

Para tu reflexión personal

–Necesito preguntarme en lo más íntimo de mi propio ser, ¿cuál es la fuente de la que brotan todas mis acciones, es el amor de Dios y el amor de mis hermanos o es la búsqueda de mí mismo y un deseo de ensalzarme a mí mismo?

–En un mundo que busca la espectacularidad y el llamar la atención, ¿He llegado a olvidar que el valor de nuestras obras no radica en la visibilidad de las mismas ni en el aplauso que puedan conseguir, sino en el amor de Dios que en ellas pongo? Si no actúo movido por el amor, haga lo que haga, no me sirve de nada...

–¿He llegado a confundir el amor con un mero sentimiento, con un actuar movido por mis pulsiones, o verdaderamente he aprendido el amor auténtico de Cristo, el que se manifiesta en la entrega generosa de la propia vida, muriendo para dar vida al proyecto de Dios a favor de mis hermanos?

–¿He llegado a dudar de la fuerza transformadora y renovadora del amor auténtico y he buscado otros medios para resolver las situaciones que Dios ha puesto en mi camino, prescindiendo del amor? Es preciso recordar que si ponemos amor, obtendremos amor. Si nuestra raíz es el amor, de cómo dice san Agustín, sólo podrán brotar frutos buenos.

"Exista dentro de ti la raíz de la caridad; de dicha raíz no puede brotar sino el bien" (*Io. ep. tr.* 7, 8).

EL TESORO DE LA LUZ EVANGÉLICA EN VASIJAS DE BARRO

2Cor 4, 7 / *qu.* 7, 49; *sermo* 128, 4

"Pero llevamos este tesoro en recipientes de barro para que aparezca una fuerza tan extraordinaria que es de Dios y no de nosotros" (2Cor 4, 7).

La victoria portentosa que Gedeón tiene sobre el innumerable ejército de los madianitas y amalecitas con sólo trescientos hombres (Jr 7, 7-25), usando la estratagema de las trompetas y de las antorchas escondidas en los cántaros, le sirve a san Agustín como motivo para hacer un interesante comentario. En primer lugar para él, el número trescientos es el signo de la cruz de Cristo, pues según su interpretación, el trescientos se simboliza a través de la letra griega Tau, símbolo de la cruz de Cristo: "El número de estos hombres que fueron trescientos, insinúa la señal de la cruz, por motivo de la letra griega T, que significa este número" (*q.* 7, 37).

Aquí es preciso decir que en hebreo la última letra del alfabeto también se llama tau y su antigua figura en hebreo también representaba una cruz (Ez 9, 4). También paralelamente a lo que comenta san Agustín el valor que le corresponde dentro del mundo bíblico hebraico a la *tau* es el de 400, así que las elucubraciones de san Agustín no estaban tan lejos de la cifra que él nos propone partiendo de la letra griega.

Y en segundo lugar nos dice que las vasijas que esos trescientos hombres llevaban en sus manos y dentro de las cuales escondían una antorcha, es símbolo del cuerpo del creyente o más bien de los mártires, quienes al morir, al ser rota la vasija de barro de su cuerpo en vista de su fragilidad, ponen de manifiesto la luz de Dios que llevan en su interior, la fortaleza de Dios y el tesoro que albergan, ya que es este tesoro y esta luz la que los fortalece en la adversidad y la que les da un valor singular:

> En relación a aquel otro hecho de que trescientos hombres, a una señal de cruz (simbolizada en el número 300) recibieron en igual número los correspondientes cántaros de arcilla y metieron dentro de ellos antorchas y rompiendo los cántaros, las numerosas luces que comenzaron a brillar de repente aterrorizaron a una multitud tan grande de enemigos (...) El Señor prefiguró que sus santos llevarían el tesoro de la luz evangélica en vasijas de arcilla, como dice el apóstol: "Pues llevamos este tesoro en vasos de arcilla". Pues bien, en el sufrimiento del martirio, como en vasijas rotas, brilló el mayor fulgor de su gloria que venció a

> los impíos enemigos de la predicación evangélica con la inopinada claridad de Cristo para ellos (*q.* 7, 49).

Ser una vasija de barro que alberga un gran tesoro es también utilizado por san Agustín para subrayar la humildad que el ser humano debe tener al reconocer su inmensa pobreza e indigencia, su mendicidad ante Dios de quien le viene todo (*s.* 56, 9), especialmente el amor con el que puede amarse a sí mismo, amar a su prójimo y amar a Dios. La fuerza del tesoro del amor de Dios no viene del hombre mismo, como querían algunos de los adversarios de san Agustín, la fuerza del amor ha sido dada al hombre de parte de Dios, ha sido derramada en el corazón del hombre por el espíritu Santo que nos ha sido dado. De este modo poniendo en relación tanto el texto de 2Cor 4, 7 junto con el de Rm 5, 5, Agustín subraya magistralmente por una parte, la pequeñez y pobreza del hombre quien será siempre un mendigo de Dios (*en. Ps.* 122, 12) y por otra parte la grandeza del amor de Dios que habita en el interior del ser humano y lo capacita para poder dirigirse a Dios:

> ¿De dónde, ¡oh mendigo!, te vino ese amor de Dios derramada en tu corazón?, ¿cómo ha podido este amor divino ser derramado en el corazón del hombre? Tenemos –dijo el apóstol–, el tesoro este en vasijas de barro. ¿Por qué en vasijas de barro? Para que resalte la fuerza de Dios. Habiendo por último dicho: "El amor de Dios

> ha sido derramado en nuestros corazones, y, al objeto de que no se atribuya nadie a sí mismo el amar a Dios", añadió: "Por el Espíritu Santo, que nos fue dado". Luego para que tú ames a Dios es necesario que more Dios en ti, que su amor te venga de él y se vuelva de ti a él; es decir, que recibas su moción, ponga en ti su fuego, te ilumine y levante a su amor (s. 128, 4)

La vasija de barro debe pues confiar en el tesoro que lleva en su interior, un tesoro que no procede del mismo ser humano, quien no deja de ser indigente en sí mismo, pero que lleva en su interior, como las vasijas de los trescientos hombres de Gedeón una antorcha luminosa y viva que lo puede iluminar en su interior para vencer las tinieblas, lo puede encender para que sean quemadas todas las tibiezas y mediocridades y puede levantarse, por la fuerza del amor, desde la postración de su barro hasta las alturas de Dios, en el movimiento agustiniano por excelencia, que es el del *sursum cor,* ¡levantemos el corazón!

San Agustín nos narra una historia

Y como una invitación a recordar nuestras debilidades y flaquezas y a nunca desconfiar del poder salvador y santificador de Dios, san Agustín nos cuenta un episodio del que él mismo fue testigo en el año 388 al volver de Italia para comenzar la vida monacal junto con sus amigos. Todo lo que a continuación se nos narra sucedió en Cartago, en presencia de Agustín, para invitarnos a no desconfiar del poder de la oración; a recordar que aunque nuestra vasija sea de barro, lleva en su interior la luz de Dios, de su misericordia y de su amor:

> ¿Quién a excepción de un reducido número ha oído hablar en Cartago de la curación de Inocencio, en otro tiempo abogado de la prefectura, curación que yo he presenciado? Él era hombre piadoso, y como él toda su casa. En ella nos había hospedado a mi hermano Alipio y a mí, que veníamos de allende el mar, sin ser aún clérigos, pero aun sirviendo a Dios. Morábamos entonces junto a él. Los médicos le trataban ciertas fístulas, numerosas por cierto y salidas en la parte posterior e ínfima del cuerpo. Ya se las habían sajado y habían aplicado todas las medicinas que su arte les brindaba. La operación había sido muy dolorosa y muy larga. Los médicos, por inadvertencia, habían dejado una fístula que estaba tan oculta que, como no la vieron, no reaplicaron el bisturí. Así mientras le curaban y cuidaban todas las fístulas abiertas, la otra tornaba inútiles todas sus curas. El enfermo desconfiaba ya de la dilación y temía enormemente una nueva incisión. Este era el pronóstico que le había dado otro médico doméstico suyo, a quien no habían permitido los otros asistir a la operación ni como simple testigo y a quien su amo en un acceso de cólera, había expulsado y recibía con dificultad.

El enfermo, entonces, gritó: ¡Qué! ¿Vais a sajar ora vez? ¿Va a cumplirse el pronóstico de aquel a quien no quisisteis ni de testigo?

Ellos comenzaron a burlarse de la ignorancia de su compañero y a clamar al enfermo con buenas palabras y bellas promesas. Pasaron aún otros muchos días, y todas las tentativas se veían frustradas. Los médicos persistían en su promesa de curar la hemorragia, no con el bisturí, sino con medicamentos. Llamaron a otro médico, ya de edad avanzada y perito en el arte, por nombre Ammonio. Examinado el lugar dolorido, dio el mismo juicio que los otros. El enfermo, creyéndose ya fuera de peligro, guiado por la autoridad de éste, se mofaba del médico doméstico suyo con alegre hilaridad y del pronóstico de una nueva operación.

¿Qué más? Después de muchos días, inútilmente transcurridos, cansados y confusos, vinieron a confesar que sólo había una solución: el bisturí. El enfermo, atónito, pálido y turbado, perdió hasta el habla. Vuelto en sí y recobrada el habla, los mandó retirar y no volver más por allí. Tras mucho llorar e impelido por la necesidad, echó mano del último recurso. Llamó a un tal Alejandrino, célebre cirujano de entonces, para que él hiciera lo que no había permitido hacer a los otros. Vino y después de haber admirado por las cicatrices, la habilidad de los otros que le habían tratado, consciente de su oficio de hombre de bien, le aconsejó que tornara a llamar a los primeros para que gozaran del fruto de sus esfuerzos. Y añadió que no había más solución que una nueva incisión, pero que no estaba conforme con sus costumbres quitar la palma de una cura tan avanzada a hombres cuyo saber, pericia y diligencia admiraba en las cicatrices. El enfermo se reconcilió con sus médicos, y quiso que, con asistencia del mismo Alejandrino, abrieran aquella fístula con el bisturí, fístula que según el sentir unánime de estos médicos, era incurable. La operación se aplazó para el día siguiente. En habiendo marchado ellos, el enfermo se sumió en una tristeza tan profunda, que toda su casa se llenó de dolor, y el llanto como por un difunto apenas lo podíamos contener nosotros. Lo visitaban diariamente santos varones (...) Aurelio, obispo digno de nombre y de honor, con quien, considerando las maravillosas obras de Dios, he conversado muchas veces sobre el caso, y lo recuerda perfectamente. Él solía visitar al enfermo por la tarde. Le rogó, con lágrimas en los ojos, que a la mañana siguiente se dignara asistir a sus funerales más que a sus sufrimientos. Las incisiones precedentes le habían causado tal miedo, que no dudaba que moriría en manos de los médicos. Le consolaron y le exhortaron a que confiara en Dios, y a que aceptara virilmente su voluntad. En seguida nos pusimos en oración, y estando nosotros arrodillados como de costumbre y postrados en tierra, él se arrojó con tal impetuosidad, que parecía como si alguno le hubiera bruscamente tirado, y comenzó a orar también. ¿Quién podría explicar con palabras de qué modo, con qué afecto, con qué unción, con qué río de lágrimas, con qué gemidos y sollozos, que le sacudían todo su ser y casi le ahogaban el espíritu, oraba? Yo no sé si los demás oraban y si todo esto no los distraía. Sólo sé que yo no podía orar. Solamente dije en mi corazón: "Señor, si no escuchas estas plegarias, ¿qué plegarias de tus siervos escucharás?" Me parecía que no podía añadirse ya nada, sino expirar orando. Nos levantamos y recibida la bendición del obispo, marchamos, rogándonos él que viniésemos por la mañana, exhortándole ellos a que tuviese buen ánimo. Brilló el día, ese día tan temido. Se presentaron los siervos de Dios, como habían prometido. Entraron los médicos, aprestaron todo lo que pedía aquella hora, sacando los temibles instrumentos ante el estupor de todos los presentes. Los más autorizados de los circunstantes consuelan al enfermo y le dan ánimos, mientras que se le coloca sobre el lecho en la postura cómoda para sajar. Sueltan las vendas, descubren la herida y el médico examina. Busca y rebusca la fístula que había que sajar. Ausculta, toca, usa de todos los medios a su alcance. Por fin halló una cicatriz muy cerrada. Mis palabras no pueden expresar la alegría, la alabanza y la acción de gracias que brotó de la boca de todos, entre gozosas lágrimas, al Dios misericordioso y omnipotente. La escena se presta más para una meditación que para un discurso (*ciu*. 22, 8, 2).

Para tu reflexión personal

–En un mundo que alimenta la soberbia y que fomenta el que muchas personas se sientan "superhombres" llenos de poder, porque los acompaña la abundancia de bienes materiales, la salud, la fuerza, la belleza o la juventud. ¿Soy continuamente consciente de que soy una vasija de barro, por mis debilidades y limitaciones, reconociendo que el gran valor mío y de todo ser humano es que llevo en mi interior el tesoro de Dios, un tesoro que nadie nunca me podrá robar?

–¿Soy consciente de que todo es un don, un regalo de Dios y que por ello debo vivir siempre dando gracias a Dios por todo lo que ha puesto en mi vida o, más bien, vivo desorientado, pensando que soy dueño absoluto de lo que tengo y olvido a Dios?

–Ya que llevo un tesoro en mi interior, ¿procuro entrar en mi interior a través del silencio, del recogimiento, de la oración, de la contemplación o, más bien, vivo una vida disipada, superficial, en la que hay mucho ruido y muchas distracciones que me impiden descubrir y valorar el tesoro del Dios que habita en mi interior?

–Muchas veces lo que es más importante en la vida queda escondido a los ojos del cuerpo y puede ser sólo visto y descubierto con los ojos del corazón. ¿Tengo esta mirada interior para poder ver las cosas como Dios las ve? ¿Contemplo y valoro los acontecimientos de mi vida sólo por las apariencias sin ver con los ojos del corazón y los ojos de la fe?

"Los ojos de la carne buscan esta luz; los ojos del corazón buscan otra luz. ¿Quieres ver la luz que se ve con los ojos del corazón? Dios es esa luz. Limpia el ojo con que se ve" (*en. Ps.* 26, 2, 15).

TRES MISTERIOS Y UNA PETICIÓN NEGADA

1Cor 6, 15 / *ep.* 259

"*¿No sabéis que vuestros cuerpos son miembros de Cristo?*" (1Cor 6, 15).

Era costumbre en la antigüedad e incluso formaba parte de un género literario establecido, el dirigir escritos invitando a la consolación ante la muerte de algún ser querido. Por ello uno de los personajes le escribe a san Agustín para solicitarle que le escriba una carta de consolación por la muerte de su esposa. San Agustín, a pesar de conocer bien los géneros literarios, se va a negar. Y no por inhumanidad, sino porque conoce la mala vida a la que el viudo se ha dedicado después de la muerte de la casta esposa. Por ello en primer lugar, san Agustín le hace ver a Cornelio –este es el nombre del "viudo alegre"– que él debería imitar a su esposa, viviendo en castidad: "Me escribes que te envíe una larga epístola consolatoria, porque te ha impresionado gravemente la muerte de tu óptima esposa, (...) Si tú la amases como ella te amó, guardarías para ella lo que ella guardó para ti (...) Si verdaderamente lamentases su muerte y quisieras consolarte con sus alabanzas, ¿buscarías después de aquella mujer otras varias e ilícitas?" (*ep*. 259, 1).

Tal parece ser que este personaje, Cornelio, era alguien a quien san Agustín conocía desde su juventud. Algunos especialistas por lo que dice san Agustín en esta carta y por una inscripción hallada en Souk-Ahras (Tagaste) el pueblo natal de san Agustín donde aparece el nombre de Cornelius Romanianus, han querido identificar al destinatario de esta carta con el mecenas de san Agustín, el rico Romaniano, quien entre otras cosas solventó los gastos de los estudios de Retórica que san Agustín hizo en Cartago, él mismo le puso una escuela en Tagaste y después también en Cartago y le buscó alumnos, entre los que se contaba el propio hijo de Romaniano, Licencio. Sea como fuere, san Agustín recuerda lo mucho que han compartido y le reprocha que ahora siendo ya ambos viejos, Cornelio se olvide de Dios y se deje arrastrar por la lujuria que lo conduce a la muerte del espíritu. Por ello con gran maestría san Agustín le devuelve la petición a Cornelio preguntándole quién lo va a consolar a él por la muerte espiritual de Cornelio: "Cuando eras, no diré catecúmeno, sino un joven caído conmigo en el error perniciosísimo, aunque eras algo más viejo que yo, te habías ido corrigiendo de ese vicio con una voluntad templada. Más poco después te volviste a revolcar sórdidamente. Te bautizaste en peligro de muerte. Y cuando ya eres anciano, y cuando yo mismo lo soy ya, ¿no te quieres enmendar? Quieres que yo te consuele por la muerte de tu buena esposa. ¿Y quién me consolará a mí por tu muerte que es lo más real?" (*ep*. 259, 3).

Y le recordará san Agustín que desde el bautismo como afirma san Pablo es miembro del cuerpo de Cristo, se encuentra incorporado a él y su propio cuerpo es también templo de Dios, por lo que debe vivir en santidad. Aquí es donde san Agustín inserta el texto fuerte de san Pablo a los Corintios (1Cor 6, 15), en el que san Pablo exhorta a los corintios a dejar la fornicación y los pecados carnales, para vivir en la santidad propia de los que han sido configurados con Cristo y hechos miembros de su propio Cuerpo, para evitar unirse en pecado a un cuerpo ajeno que no es el de Cristo y donde no se halla la vida, sino la muerte. Por ello san Agustín le exhorta a que si no le quiere escuchar a él, que es un obispo amigo suyo, que escuche a Dios y al apóstol san Pablo y que no difiera su conversión: "Atiende a Dios, piensa en Cristo, escucha al apóstol que dice: '¿Arrancaré los miembros de Cristo para hacer miembros de meretriz?' Si en tu corazón desdeñas las palabras de un obispo cualquiera amigo tuyo, considera el cuerpo de tu Señor en tu cuerpo. En fin, ¿cómo difieres de día en día la corrección de tus pecados, no sabiendo cuál será tu último día?" (*ep*. 259, 3).

Al hilo de estas reflexiones san Agustín le invita a leer el texto de Lc 16, 19-28, la parábola, comúnmente conocida como la del rico "Epulón" y el pobre

Lázaro. En ella san Agustín acentúa cómo Cipriana, la casta esposa de Cornelio, le está recordando a su marido lo importante que es vivir en castidad para no comprometer, al vivir en pecado su propio destino eterno, como le sucedió al rico Epulón. Por otra parte le exhorta a vivir rectamente en castidad para que pueda por toda la eternidad vivir feliz junto a su esposa. Por ello como remedio para sus pecados debe leer el evangelio, meditarlo, hacerle caso a Dios y creer en él: "Si un hermano no quería reunirse con los hermanos en el tormento, ¿cuánto menos querrá la esposa, colocada en el lugar de los bienes, tener a su marido separado en el lugar de los males? Lee ese pasaje en el evangelio: es la piadosa voz de Cristo, cree Dios" (*ep*. 259, 5).

No sabemos el final de esta historia (primer misterio), ni tampoco podemos asegurar a ciencia cierta que el destinatario fuera el rico Romaniano aunque hay muchos indicios que nos invitan a creer en ello (segundo misterio). Sin embargo la carta se cierra con un tercer misterio. Hay una anotación al final de la carta en la que sabemos por el mismo texto que fue escrita por otra mano, siendo ésta una referencia fiel de los primeros copistas de estas cartas agustinianas. La cuestión es saber quién escribió esta última nota. ¿El mismo san Agustín de su puño y letra? Podría ser, ya que él en la mayoría de los casos, y más al final de su vida, se valía de escribanos y secretarios a los que dictaba sus escritos. ¿Puede ser una añadidura de alguno de los primeros copistas, algunos de los miembros del *scriptorium* (despacho monástico en el que se copiaban los manuscritos) agustiniano o de algún otro *scriptorium* monástico? Para esto no hay respuesta. Sin embargo el mensaje que añade esa "mano misteriosa", no puede ser más optimista y halagüeño, pues casi da por hecha la conversión de Cornelio, expresando con ello sus mejores deseos, evitando así su perdición: "(Y escrito con otra mano) El Señor nos conceda regocijarnos de tu salud, señor directísimo y honorable hermano" (*ep.* 259, 5).

Algunos textos en los que san Agustín comenta 1Cor 6, 13

*(El maniqueo) afirma que por parte de las almas pertenece a Cristo, pero que pertenece al diablo por parte de los cuerpos. ¿Y qué dice a eso el Doctor de la gente en la fe y en la verdad? Afirma: "¿No sabéis que vuestros cuerpos son miembros de Cristo?" (1Cor 6, 15) (...) ¿Cómo ha de ser mala la carne, cuando se amonesta a las mismas almas a que imiten la paz que guarda ella en sus miembros? ¿Cómo ha de ser obra del enemigo, cuando las mismas almas, que rigen los cuerpos, han de imitar a los miembros del cuerpo para no permitir divisiones entre ellas, cuando tienen que desear tener por gracia lo que Dios estableció en el cuerpo por naturaleza? Con razón escribía Pablo a los Romanos: "Os exhorto hermanos, por la misericordia de Dios, que ofrezcáis vues-

tros cuerpos como sacrificio vivo, santo, agradable a Dios (Rm 12, 1).

*El apóstol Pablo dice que la soltera sea santa en cuerpo y en espíritu (1Cor 7, 34). No ha de tomarse eso como si la casada fiel, casta y sumisa a su marido según las Escrituras, no fuese santa de cuerpo, sino tan solo de espíritu. No puede darse que sea santo el espíritu y no sea santo también el cuerpo utilizado por el espíritu santificado (...) Pero consideremos las palabras del mismo Pablo cuando prohíbe la fornicación, diciendo: "¿No sabéis que vuestros cuerpos son miembros de Cristo? (...) ¿Quién osará decir que los miembros de Cristo no son santos o separar de los miembros de Cristo el cuerpo de los cristianos casados?" (...) Dice que los cuerpos de los cristianos son miembros de Cristo y templo del Espíritu Santo, y sin duda quedan comprendidos los cristianos de ambos sexos (*b. vid.* 8)

*Estos cuerpos nuestros, de los que dice el apóstol que son miembros de Cristo, debido al cuerpo que Cristo tomó idéntico al nuestro, de estos mismos cuerpos dice también el apóstol que son el templo del Espíritu Santo en nosotros. Espíritu que recibimos de Dios. Gracias a que Cristo tuvo un cuerpo, nuestros cuerpos son miembros de Cristo; gracias a que el Espíritu de Cristo habita en nosotros, nuestros cuerpos son templo del Espíritu Santo. ¿Cuál de estas dos cosas desprecias en ti mismo? ¿A Cristo de quién eres miembro o al Espíritu Santo de quién eres templo? (*s.* 161, 2).

Para tu reflexión personal

–¿Tengo el valor de renunciar a aquellas cosas que sé que me alejan de Dios a pesar de que me sean muy gratas y piense que no puedo vivir sin ellas?

–¿Respeto y cuido mi cuerpo recordando que es templo del Espíritu Santo o más bien lo olvido y en ocasiones cometo con mi cuerpo actos que afrentan la presencia de Dios en mí?

–¿Tomo consciencia de que soy parte del gran cuerpo de Cristo que es la Iglesia, soy un miembro sano de la misma, recordando que mi santidad la embellece y que mi pecado la afea?

–¿He llegado a caer en la idolatría del propio cuerpo, de tal modo que vivo esclavo de sus pasiones, de sus cuidados y necesidades más nimias, encerrado en mis propios gustos y necesidades y olvidando las necesidades y los sufrimientos de los demás?

"La carne te había cegado, la carne te sana" –la Encarnación de Cristo– (*Io. eu. tr.* 2, 16).

UNA REPRENSIÓN PAULINA AL PRIMER PAPA O LA IMPORTANCIA DE NO MENTIR, AUNQUE LA CARTA SE PIERDA

Gál 2, 11-14 / *ep.* 28; *ep.* 40

"Mas, cuando vino Cefas a Antioquía, me enfrenté con él cara a cara, porque era censurable.[12] *Pues antes que llegaran algunos de parte de Santiago, comía en compañía de los gentiles; pero una vez que aquéllos llegaron, empezó a evitarlos y apartarse de ellos por miedo a los circuncisos.*[13] *Y los demás judíos disimularon como él, hasta el punto de que el mismo Bernabé se vio arrastrado a la simulación.*[14] *Pero en cuanto vi que no procedían rectamente, conforme a la verdad del evangelio, dije a Cefas en presencia de todos: "Si tú, siendo judío, vives como gentil y no como judío, ¿cómo fuerzas a los gentiles a judaizar?"* (Gál 2, 11-14).

San Agustín como un gran enamorado de las Escrituras, buscó profundizar cada vez más en ellas y para esto se valió de múltiples medios, no sólo buscó los mejores códices bíblicos, sino también pidió la ayuda de aquellos a quienes juzgaba más avezados en el conocimiento de las Sagradas Escrituras. Entre las personas a las que recurre destaca san Jerónimo, famoso por sus traducciones bíblicas. Es verdad que la correspondencia entre ambos no fue del todo cordial, aunque es preciso decir que esto no fue por culpa de Agustín, fue sumamente enriquecedor el intercambio de ideas para ambos.

Cuando san Agustín lee el comentario de san Jerónimo de la carta a los Gálatas, le llama la atención la explicación que da al pasaje de Gál 2, 11-14, donde narra san Pablo cómo san Pedro, cuando estaba en Antioquía rodeado de gentiles convertidos a la fe, comía con ellos como si él también fuera pagano, pero que cuando llegaban los cristianos que provenían del judaísmo, san Pedro se apartaba del grupo de los cristianos provenientes de la gentilidad para simular que guardaba las normas de la Ley propias de los judíos. Como el mismo san Pablo declara, la simulación de Pedro había arrastrado a otros judíos convertidos al cristianismo tras de sí, entre los que se encontraba Bernabé. Por ello san Pablo se lo echará en cara y le hará ver su hipocresía, increpándolo públicamente.

La explicación que da san Jerónimo es que no hubo ninguna desavenencia entre los apóstoles, sino que todo había sido preparado de antemano. Que se habían puesto de acuerdo, para que con la reprimenda, los cristianos que provenían del judaísmo no se dejaran seducir por la tentación de la simulación cuando se encontraran en medio de cristianos venidos de la gentilidad y que obedecieran las normas estipuladas para ellos por la Iglesia. Es decir todo había sido el guión de una comedia con la finalidad de exhortar y de invitar a una vivencia pura de la fe. O bien se podría explicar este pasaje al decir que a san Pablo no le parecía mal el que san Pedro comiera con los gentiles como un gentil, pero que para aplacar el ánimo de los murmuradores, aparentó y mintió diciendo que no estaba de acuerdo con la conducta de Pedro. Sea como fuere, con la primera explicación no sufre demérito la figura del primer Papa, san Pedro, pero queda en tela de juicio el criterio de verdad bíblico, algo todavía más importante y esto es lo que san Agustín quiere poner de manifiesto, pues si se acepta que existe una mentira, se pone en tela de juicio el criterio mismo de verdad de toda la Sagrada Escritura, pues si contienen algo que sea falso, la Palabra de Dios pierde su valor:

> He leído asimismo ciertos escritos que se dicen tuyos sobre las cartas de san Pablo. Al exponer la carta a los Gálatas, llegas a tocar aquel pasaje en el que san Pedro es disuadido de su pernicioso disimulo. Y lamento hermano, no poco, que te hayas arrogado la protección de la mentira, si eres tú y no otro quien redactó este escrito. Lo he de lamentar hasta que sean rebatidas si es que pueden serlo, las razones que a mí me determinan. Opino que es deletéreo creer que en los libros santos se

> contiene mentira alguna, es decir, que aquellos autores por cuyo medio nos fue otorgada la Escritura hayan dicho alguna mentira en sus libros (*ep.* 28, 3, 3).

La conclusión no puede ser otra, que la que ya hemos mencionado, si se admite que ambos mintieron y que hay mentira dentro de la Sagrada Escritura, no es posible que quede ninguna parte de ella sin ser cuestionada. Así, pone san Agustín el ejemplo entre la mentira que puede decir un hombre bueno en una determinada circunstancia –cuestión a la que dará respuesta en su obra sobre la mentira *De Mendacio*– y la mentira que supuestamente se puede encontrar en la Sagrada Escritura: "Una cosa es preguntarse si un hombre bueno puede en algunas circunstancias mentir, y otra muy distinta es preguntarse si pudo mentir un escritor de la Sagrada Escritura. Mejor dicho, no es otra cuestión, sino que no hay cuestión. Porque una vez admitida una mentira por exigencias del oficio apostólico en tan alta cumbre de autoridad, no quedará defendida partícula alguna de los Libros" (*ep.* 28, 3, 3).

La primera conclusión a la que llega san Agustín es sumamente clara, si se admite que san Pablo mintió cuando dice que estaba haciéndole el reproche al apóstol Pedro, también se puede decir que mintió cuando hablaba, por ejemplo de la bondad del matrimonio, cuya bondad como tal era puesta en tela de juicio por algunos como los encratitas o los maniqueos:

> Porque supongamos que mentía el apóstol Pablo cuando reprendió al apóstol Pedro, diciéndole: "Si tú siendo judío, vives como gentil y no como judío, ¿por qué obligas a los gentiles a judaizar?" Resulta entonces que le parecía buena la conducta de Pedro, y, no obstante, dijo y escribió que no le parecía buena, y todo simplemente porque su ministerio le obligaba a aplacar el ánimo de los murmuradores. Y entonces, ¿qué contestaremos, pongo por ejemplo, cuando surjan ciertos malvados, como los prometió el apóstol, prohibiendo el matrimonio? Dirán que todo aquello que afirmó el apóstol acerca del derecho que garantiza el matrimonio fue una mentira para calmar a los que podían inquietarse por el amor conyugal (*ep*. 28, 3, 4).

Así pues no hay ninguna mentira ni simulación, sino una reprensión real que san Pablo le hace acremente a san Pedro. Los exegetas actuales, en esta cuestión, le han dado la razón a san Agustín, viendo con él todas las importantes razones de fondo, así como el mismo contexto bíblico del texto de la carta a los Gálatas. Si se admite que la Sagrada Escritura en alguna parte suya no dice la verdad, no puede sostenerse la verdad de ninguno de sus demás pasajes, pues todos pueden ser puestos en tela de juicio y pueden ser cuestionados por cualquier persona. En otras cuestiones, san Agustín expresará su admiración por la ciencia bíblica de san Jerónimo, pero en esta cuestión no estará de acuerdo con él.

Sin embargo, esta carta no llegó a manos de san Jerónimo, por lo que Agustín tendrá que repetir sus argumentos, de manera más sintética en otra carta: "Tiempo ha te escribí desde aquí una carta que no llegó a ti porque no pudo realizar su viaje el correo a quien yo la entregué. De ella he tomado, al dictar ésta, lo que aquí no he debido pasar en silencio. Si tu opinión es distinta y mejor que la mía, perdona generosamente mi temor. Si tú lo ves de otro modo y ves la verdad (pues, si no es la verdad con una culpa bien pequeña, por no decir nula, si es que la verdad puede alguna vez favorecer de algún modo a la mentira" (*ep.* 40, 5, 8).

A este propósito san Agustín nos ha dejado dos tratados sobre la mentira. De uno de ellos, entresacamos una cita que hace referencia a este caso, la reprensión del apóstol san Pablo al príncipe de los apóstoles, Pedro:

> En los libros del Nuevo Testamento, si exceptuamos las expresiones alegóricas del Señor, no se puede presentar nada, tanto en lo que toca a los dichos y hechos como a la vida y costumbres de los santos, que provoque la simulación o la mentira. Porque la simulación de Pedro y Bernabé no solamente se cita, sino que se reprende y corrige (Gál 2, 12-13). Tampoco el apóstol Pablo usó de esta simulación, como piensan algunos, ni cuando circuncidó a Timoteo ni cuando celebró algunos misterios, según el rito judío, sino que usó la libertad de opinión que él había predicado (...) Guiado

por esta libertad, Pablo conservó las observancias paternas, únicamente cuidando de predicar esto: que no se pensara que en ellas estaba la salvación cristiana. Pero Pedro apremiaba a los gentiles a judaizar, con su simulación, como si la salvación viniese del judaísmo, que es lo que muestran las palabras de Pablo, cuando dice: "¿Cómo apremias a los gentiles a judaizar?" (Gál 2, 14). Pues no habrían sido apremiados si no hubieran visto que él las observaba como si fuera de ellas no pudiera haber salvación. Por tanto, no se puede comparar la simulación de Pedro con la libertad de Pablo. Por eso debemos amar a Pedro, que recibe de grado la corrección pero sin edificar la mentira, sobre la autoridad de Pablo que condujo a Pedro, delante de todos, al recto camino, para que los gentiles no se vieran forzados a judaizar. Y él mismo en su predicación atestigua que como fuera juzgado enemigo de las tradiciones patrias, porque no quería imponerlas a los gentiles, no desdeñó de practicarlas al estilo de sus pares. De este modo nos demuestra que permaneció en ellas, tras la venida de Cristo, para que nadie pensase que eran perniciosas para los judíos, o necesarias para los gentiles, o saludables para todo hombre. Por lo cual la mentira no puede autorizarse ni con citas del Antiguo Testamento, ya sea porque no es mentira lo que se hace o dice alegóricamente, o porque no se propone a la imitación de los buenos, lo que es de alabar en los malos cuando comienzan a mejorar en comparación con su anterior vida; ni tampoco con los escritos del Nuevo Testamento, que nos propone imitar más la corrección de Pedro que su simulación, como nos propone imitar sus lágrimas en vez de su negación (*mend.* 1, 5, 8).

Sobre la mentira, san Agustín nos invita a reflexionar con un interesante texto:

> Exceptuemos, desde luego, las bromas que nunca se han considerado mentiras, pues tienen un claro significado, por la manera de hablar y la actitud del que bromea, sin ánimo de engañar aunque diga cosas verdaderas (…) No todo el que dice algo falso miente (…) Quien expresa lo que cree o piensa interiormente, aunque eso sea un error, no miente. Cree que es así lo que dice, y llevado por esa creencia, lo expresa como siente. Sin embargo, no quedará inmune de falta, aunque no mienta, si cree lo que no debiera creer o piensa que conoce lo que, en realidad, ignora, aunque fuese verdad, pues cree conocer lo que desconoce.
>
> Por tanto, miente el que tiene una cosa en la mente y expresa otra distinta con palabras u otros signos. Por eso, se dice que el mentiroso tiene un corazón doble, es decir un doble pensamiento: uno el que sabe u opina que es verdad y se calla, y el otro el que dice pensando o sabiendo que es falso. Por eso, se puede decir algo falso sin mentir, si se piensa que algo es como se dice, aunque en realidad, no sea así. Y se puede decir la verdad mintiendo, si se piensa que algo es falso y se quiere

hacer pasar por verdadero, aunque, de hecho, lo sea. Al veraz y al mentiroso no hay que juzgarles por la verdad o falsedad de las cosas en sí mismas, sino por la intención de su opinión. Se puede decir que yerra y que es temerario el que afirma algo falso, si piensa que es verdadero, pero no se le puede llamar mentiroso, porque no tiene un corazón doble en lo que dice, ni desea tampoco engañar, sino que se engaña él mismo. El pecado del mentiroso está en su deseo intencionado de engañar, bien sea que nos engañe porque le creemos, cuando dice una cosa falsa, o bien no nos engañe, porque no le creemos, o porque resulta ser verdad lo que nos dice, pensando que no lo es, con la intención de engañarnos. Y aunque entonces, le creemos, tampoco nos engaña, aunque quisiera engañar, a no ser en la medida en que nos hace creer que sabe y piensa lo que dice (*mend.* 1, 3, 3).

Para tu reflexión personal

–¿Es la Biblia tu libro de cabecera, la lees con frecuencia para encontrar en ella la Palabra viva de Dios o es, más bien, para ti un libro más, un texto que lees poco y que entiendes también poco?

–¿Dedicas algún tiempo a lo largo del día para meditar el evangelio de cada día, o la Palabra de Dios, o tal vez vives distraído y demasiado ocupado en muchos asuntos?

–¿Pones atención a la Palabra de Dios cada vez que asistes a la celebración de la misa o, más bien, eres un oyente olvidadizo de tal manera que no retienes ni meditas nada de ella en tu interior?

–¿Tus palabras son siempre verdaderas y procuras siempre decir la verdad, o te gusta decir mentiras y vivir tú mismo dentro de una mentira, creyendo que puedes engañar al mismo Dios?

"Cuando lees, te habla Dios; cuando oras, hablas tú a Dios" (*en. Ps.* 85, 7).

SAN LEONCIO Y LA LAETITIA: CUATRO SERMONES ENTRE LÁGRIMAS Y CANTOS

1Cor 6, 9-11; Gál 5, 22-23; Flp 3, 18-19 / *ep.* 29

"¿No sabéis acaso que los injustos no heredarán el Reino de Dios? ¡No os engañéis! Ni impuros, ni idólatras, ni adúlteros, ni afeminados, ni homosexuales,[10] *ni ladrones, ni avaros, ni borrachos, ni ultrajadores, ni explotadores heredarán el Reino de Dios.*[11] *Y tales fuisteis algunos de vosotros. Pero habéis sido lavados, habéis sido santificados, habéis sido justificados en el nombre del Señor Jesucristo y en el Espíritu de nuestro Dios"* (1Cor 6, 9-11).
"En cambio el fruto del Espíritu es amor, alegría, paz, paciencia, afabilidad, bondad, fidelidad,[23] *modestia, dominio de sí; contra tales cosas no hay ley"* (Gál 5, 22-23).
"Porque muchos viven según os dije tantas veces, y ahora os lo repito con lágrimas, como enemigos de la cruz de Cristo,[19] *cuyo final es la perdición, cuyo Dios es el vientre, y cuya gloria está en su vergüenza, que no piensan más que en las cosas de la tierra"* (Flp 3, 18-19).

Uno de los momentos más difíciles de la vida de san Agustín como pastor de almas fue en el año 395, cuando se propuso suprimir de una vez para siempre la fiesta así llamada de la *laetitia,* de la "alegría", –aunque realmente era una alegría vinolenta que se festejaba con grandes comilonas y con un exceso de bebidas alcohólicas dentro de la Iglesia– que se celebraba en marzo en honor del mártir san Leoncio, precisamente en una de las dos grandes basílicas de Hipona que llevaba su nombre, la basílica Leontiana: "(...) me anunciaron que ciertos individuos se habían alborotado, protestando que no podían tolerar la supresión de esta solemnidad que ellos llaman laetitia. Tratan en vano de enmascarar el nombre de borrachera" (*ep.* 29, 2).

Después de predicar un primer sermón, dos días antes de la fiesta, al que asistieron pocas personas, al día siguiente –víspera de la fiesta– predicó un segundo sermón, en el que con fuerza insistió sobre la necesidad de dejar de celebrar a san Leoncio de una manera pagana, con grandes comilonas y con borracheras. En este segundo sermón, entre otros pasajes bíblicos, citará principalmente dos grupos de textos de san Pablo. En el primer grupo hay tres textos de la primera carta a los Corintios (1Cor 5, 11; 1Cor 6, 9-11; 1Cor 11, 20-22), en los que el apóstol, además de hacer el elenco de la lista de pecados que conducen a la muerte, invita a vivir en la verdad y en la santidad, recordando que la vocación cristiana implica una renuncia definitiva al pecado y al camino de las tinieblas, del desenfreno y del hombre viejo, siendo el texto central el 1Cor 6, 9-11. Ya para cuando san Agustín cita este texto, se encuentra emocionado. Así lo describe él mismo:

> Les expuse gimiendo cuánto peligro hay en participar de la mesa de los que se embriagan en sus casas. A continuación leí (...) No os engañéis: ni los fornicarios, ni los idólatras, ni los adúlteros, ni los afeminados, ni los sodomitas, ni los ladrones, ni los avaros, ni los borrachos, ni los maldicientes, ni los ladrones, poseerán el reino de Dios. Y de éstos fuisteis vosotros, pero habéis sido lavados y justificados en el nombre del Señor Jesucristo y por el Espíritu de nuestro Dios (1Cor 6, 9-11). Terminada esta lectura, les pregunté con qué cara podían escuchar ese habéis sido lavados los que mantienen semejante e impura concupiscencia en el corazón, es decir, en el templo interior de Dios, siendo así que para ella está cerrado el reino (*ep.* 29, 5).

Poco después el sermón de san Agustín sigue con las listas paulina de pecados, haciendo ahora uso de un segundo grupo de textos paulinos, pero en esta ocasión sacados de la carta a los Gálatas (Gál 5, 19-21), para finalmente terminar con otro texto de la carta a los Gálatas en el que se habla de los frutos del Espíritu:

> Después de estas palabras, volví a preguntar si serán conocidos los cristianos por el fruto de la embriaguez, puesto que el Señor mandó que los reconozcamos por

> los frutos. Hice todavía que se leyese este otro pasaje: "mas los frutos del espíritu son caridad, el gozo, la paz, la benignidad, bondad, fe, mansedumbre y continencia" (Gál 5, 22. 23). Les obligué a considerar cuán vergonzoso y lamentable era que no sólo viviesen de los frutos de la carne privadamente, sino que deseasen quitarle su honor a la iglesia, y llenar todo el amplio espacio de esta gran basílica de turbas de tragones y borrachos, contando con una supuesta autorización (*ep.* 29, 6).

Después de la lectura de estos textos paulinos, el discurso agustiniano había ya dispuesto el terreno para el momento culminante. Les recordó a los fieles que él no había sido enviado por el Señor a esta diócesis de Hipona para buscar la muerte de los fieles, sino su vida, por lo que los exhortaba a buscar la vida y la salvación. Esta exhortación la hace san Agustín con tal vehemencia y sentimiento que despertó una fuerte conmoción en medio de la asamblea que inevitablemente comenzó a llorar. Y Agustín también lloraba, por lo que el sermón acabó en medio de lloros y lágrimas. La descripción agustiniana no puede ser más emocionante: "No fueron mis lágrimas las que provocaron las suyas, pues confieso que mientras estaba hablando, ellos se adelantaron a llorar y yo no pude contenerme de hacer otro tanto. Después de llorar en común, terminé mi plática con la esperanza plena de la corrección" (*ep.* 29, 7).

Sin embargo, san Agustín sabía que estas lágrimas podían ser muy engañosas –simples "lágrimas de cocodrilo"– y que la batalla final todavía no se había librado, pues aún no había llegado el día de la fiesta. Y este día llegó. San Agustín lo esperaba con un cierto temor, pues no es fácil desarraigar una costumbre profundamente anclada en el corazón de los hombres y de los pueblos y avalada por el peso pétreo de la costumbre. Por la mañana llegaron a los oídos de san Agustín malas noticias que confirmaban sus temores: "Al amanecer del día siguiente, cuando ellos solían preparar sus fauces y estómagos, se me anunció que algunos, aun de los que habían asistido a la plática anterior, no cesaban de protestar. Tenía tal fuerza la costumbre pésima en ellos, que, dejándose gobernar por la voz de la misma, decían: '¿Por qué ahora? Los que antes no lo prohibieron, no dejaban por eso de ser cristianos'. Al oír esto, ya no sabía yo de qué argumentos más fuertes echar mano para reducir tanta rebeldía" (*ep.* 29, 8).

San Agustín, esperando lo peor y un desenlace fatal ese día de la fiesta, había ya preparado un sermón con una gran teatralidad, donde pensaba hablar poco y hacer un gesto profético que invitara a las turbas hambrientas de placer y de vinolencia a la reflexión: "Estaba determinado, si mantenían su opinión, en leerles aquel pasaje del profeta Ezequiel: 'Queda absuelto el centinela si reveló el peligro, aunque aquellos a quienes lo anunció no quieran evitarlo' (Ez 33, 9), y luego sacudir mis vestidos y marcharme" (*ep*. 29, 8).

No obstante, una vez más, como sucede en la vida de todo creyente y como le sucedió en muchas ocasiones a san Agustín, Dios cambió los planes que él había hecho y le dio un giro inesperado a los acontecimientos. Una hora antes de que san Agustín predicara e hiciera el gesto teatral que ya conocemos, el grupo de los más reacios y rebeldes, de pronto acudió a entrevistarse con san Agustín. Él los acogió con benignidad y dulzura y vio cómo se obraba un cambio en ellos. Esta entrevista le hizo cambiar el guión de la predicación. Ya no haría ningún gesto teatral, sino que su sermón se limitó a ser una explicación de las razones por las que se había consentido en la celebración de esta fiesta de la manera en la que ellos estaban acostumbrados, así como a poner algunos ejemplos de otras Iglesias en diversas partes del mundo. Finalmente terminó su sermón con una alusión a un texto paulino, al texto de Flp 3, 19, donde san Pablo habla de aquellos cuyo "dios es su vientre":

> Una hora antes de subir a la cátedra, entraron a verme aquellos mismos a quienes oí lamentarse de que desterrase la antigua costumbre. Les recibí con blandura y en pocas palabras troqué su pensamiento, llevándolo al buen camino. (Y acabado el sermón) les exhorté a que asistiesen por la tarde a la lectura divina y a la salmodia; sería placentero celebrar ese día con mayor pureza

y sinceridad que los otros. De este modo aparecerían fácilmente quiénes del concurso presente querían seguir a la razón y quiénes al vientre. Terminada la lectura, di fin al sermón (*ep*. 29, 8. 10).

Por la tarde de ese día de fiesta, el obispo Valerio presidió la celebración y san Agustín estaba con un gran deseo de que acabara ese día, pues a cada momento estaba el peligro de que la furiosa turba de los beodos y de los que aún deseaban celebrar la fiesta como antes –comiendo y bebiendo–, rompieran el orden impuesto y echaran por tierra todos los esfuerzos de san Agustín. Deseaba que el obispo diera por concluida la fiesta para cerrar de ese modo el día sin una celebración de hartazgo y ebriedad. Sin embargo, una vez más sus planes se vieron trastocados, pues el obispo Valerio le obligó a que le dirigiera la palabra al pueblo. San Agustín lo hizo brevemente, teniendo como telón de fondo los cantos de ebriedad que provenían de la basílica de los donatistas que estaba a muy poca distancia de la basílica Leontiana, elemento que le sirve también a san Agustín para su sermón: "Al salir nosotros (el obispo Valerio y Agustín), se leyeron dos salmos. Yo estaba ansioso de dar por terminado día tan arriesgado, pero el anciano obispo me mandó y obligó, contra mi voluntad, a dirigirles todavía la palabra. Fui breve en mi plática, para dar gracias a Dios. Estábamos oyendo en la basílica de los herejes (donatistas) el rumor de los acostumbrados convites celebrados por ellos. Allá seguían entregados a la bebida durante el tiempo de nuestras funciones" (*ep.* 29, 11).

Este sermón gira en torno a las palabras de san Pablo con las que había concluido el sermón de la mañana, el texto de Flp 3, 19, "su dios es el vientre", subrayado el contraste entre la celebración santa y pura de la Iglesia católica y la celebración empañada por la ebriedad y las comilonas hecha por los donatistas: "Refiriéndome a los herejes (donatistas), dije al pueblo que eran dignos de lástima; cultivan como primordial lo que ha de ser destruido; y puesto que cada uno se hace solidario de aquello que venera, les recordé que el apóstol increpa a los tales diciendo: 'cuyo dios es el vientre' (Flp 3, 19), pues dice en otro lugar: 'la vianda para el vientre, y el vientre para las viandas pero Dios destruirá a uno y a otras' (1Cor 6, 13)" (*ep.* 29, 11).

Terminado el sermón, san Agustín pudo finalmente descansar. La batalla estaba ganada. San Agustín junto con el obispo Valerio se retiraron de la Iglesia y los religiosos del monasterio agustiniano se quedaron con el pueblo para cantar con ellos algunos salmos hasta el final del día: "Después de aducir en este sentido todo lo que el Señor se dignó sugerirme en tal coyuntura, di por terminada la habitual función vespertina y me retiré con el obispo. Los religiosos entonaron entretanto algunos himnos, y en un pequeño concurso de ambos sexos se quedó con ellos a cantar salmos hasta que el día fue oscureciendo" (*ep.* 29, 11).

Así terminó esa jornada tan peligrosa para san Agustín, entre los cantos santos de los salmos entonados por los monjes en la Iglesia católica, y los cánticos disparatados y ebrios provenientes de la basílica donatista. En esa jornada san Agustín consiguió una gran victoria y logró suprimir una pésima costumbre dentro de la Iglesia de Hipona y pudo establecer una gran diferencia entre la Iglesia católica y la Iglesia donatista.

Algunos textos en los que san Agustín comenta Gál 5, 22

*Consiguientemente, queriendo el apóstol recomendar los frutos del espíritu en contra de las obras de la carne, pone como base la caridad: los frutos del Espíritu son la caridad y luego como emanados de esta fuente y en íntima conexión con ella, enumera los otros: el gozo, la paz, la firmeza del alma, la benignidad, la bondad, la fe, la mansedumbre y la castidad. Y en verdad, ¿quién puede tener gozo si no ama el bien del cual se goza? ¿Quién puede tener verdadera paz si no la tiene con aquel a quien ama de verdad? ¿Quién puede tener firmeza de ánimo para permanecer en el bien si no es por el amor? ¿Quién es benigno si no ama al que socorre? ¿Quién se hace bueno si no es por el amor? ¿De qué provecho puede ser la fe que no obra por la caridad? ¿Qué utilidad puede haber en la mansedumbre si no es gobernada por el amor?

¿Quién huye de lo que puede mancharle si no ama lo que le hace casto? Con razón, pues, el buen Maestro recomienda la caridad, como si sólo ella mereciese ser recomendada, y sin la cual no pueden ser útiles los otros bienes ni puede estar separada de los otros bienes que hacen bueno al hombre (*Io. eu. tr.* 87, 1).

*La lectura del santo evangelio que acabamos de escuchar ha sido una advertencia terrorífica para que evitemos el tener hojas sin fruto. En pocas palabras esto es lo que indica: evitar que haya palabras y falten los hechos (...) Cristo tiene hambre y busca el fruto, pero no lo encuentra en ellos porque no se encuentra en ellos. No tiene fruto porque no tiene a Cristo. No tiene a Cristo quien no mantiene la unidad de Cristo, quien no tiene caridad. El resultado de este silogismo es que no tiene fruto quien no tiene caridad. Escucha al apóstol: "El fruto del espíritu es, en cambio, la caridad"; decía esto como recomendando el racimo, es decir, el fruto. El fruto del espíritu, dice, es la caridad, el gozo, la paz, la longanimidad. Una vez que ha mencionado la caridad, no te extrañes de las cosas que le siguen (*s.* 89, 1).

*Es una enseñanza para nosotros en esta tierra, donde no se vive sin tentaciones. Por tanto, os amonesto, retoños santos; os amonesto, plantación nueva en el campo del Señor, para que no tenga que decirse de vosotros lo que se dijo de la casa de Israel: "Esperé que diera uvas, pero me dio espinas". Halle en vosotros un racimo el cual fue pisoteado a favor nuestro, dad uvas, vivid bien. Pues como dice el apóstol, los frutos del espíritu son el amor, el gozo, la paz, la longanimidad, la benignidad, la bondad, la mansedumbre, la fidelidad, la continencia, la castidad. Cuando venga a nosotros nuestro agricultor, aquel de quien somos operarios y quien da el crecimiento desde dentro (...) halle en vosotros lo que había dicho el apóstol: "Mi gozo y mi corona sois vosotros, todos los que permanecéis firmes en el Señor" (*s.* 376 A, 3).

*Los frutos del Espíritu son caridad, gozo, paz, paciencia, longanimidad, benignidad, bondad, fe, mansedumbre, continencia. Se ha de saber que aquí la palabra gozo está puesta en sentido propio; en efecto, los hombres malos no se puede decir propiamente que se alegran, sino que se divierten (...) Según esta propiedad de las palabras, por la cual el gozo no se da sino en lo buenos, también dice el profeta: "No hay alegría para los malévolos, dice el Señor" (*s.* 48, 22) (...) Así también la fe, de la cual se ha hablado, no es una fe cualquiera, sino la verdadera fe y todos los otros conceptos de los que ha hablado tienen una cierta apariencia en los hombres malos e hipócritas, de tal manera que engañan al otro si no se tiene el ojo puro y sincero, con el cual se conozca estos hechos. Por esto, con mucha lógica se ha tratado en primer lugar de la purificación de la visión y después se han ido exponiendo las cosas de las cuales hay que tener cuidado (...) No debemos pensar que ya produce buenos frutos si alguno le dice a nuestro Señor: "Señor, Señor", y por ello nos parezca ya un buen árbol. Pues los frutos son éstos: hacer la voluntad del Padre que está en los cielos, porque haciendo su voluntad el mismo Cristo se dignó mostrarse como modelo (*s. dom. m.* 2, 81-82).

Para tu reflexión personal

–¿Soy coherente en mi vida, de tal manera que vivo según aquello que creo, de tal manera que mis actos y mi comportamiento se convierten en el mejor reflejo de lo que vivo y creo en mi interior?

–¿Soy valiente para afrontar las situaciones difíciles y en ellas soy capaz de tomar decisiones claras donde quede de manifiesto mi fe y mis creencias o, más bien, me escudo en soluciones fáciles, en acuerdos ambiguos, en dejar que las cosas sigan como hasta ahora?

–¿Me siento libre ante las realidades de este mundo o, tal vez, soy esclavo de alguna realidad que impide la acción de Dios en mí, de tal manera que se podría decir que esa realidad ha llegado a tomar en mí el lugar de Dios?

–¿Sé obedecer las normas y disposiciones de quienes tienen autoridad dentro de la Iglesia o me rebelo contra ellas, creando divisiones dentro de la comunidad para buscar en ello mis propios intereses y querer condicionar las decisiones tomadas a favor del bien común según mis propios gustos?

"Pues los frutos son estos: hacer la voluntad del Padre que está en los cielos, porque haciendo su voluntad el mismo Cristo se dignó mostrarse como modelo" (*s. dom. m.* 2, 81-82).

SANTAS HORMIGAS, SAGRADAS ABEJAS, EL HORNO Y EL CÁNTARO: UN TEXTO QUE SUSCITA IMÁGENES

1Cor 10, 13 / *ep.* 41; *en. Ps.* 93, 27; *en. Ps.* 94, 9; *en. Ps.* 120, 11; *s.* 223, 2

"No habéis sufrido tentación superior a la medida humana. Y fiel es Dios que no permitirá seáis tentados sobre vuestras fuerzas. Antes bien, con la tentación, os dará modo de poderla resistir con éxito" (1Cor 10, 13).

El texto paulino de 1Cor 10, 13, será un texto que de una manera particular suscitará en la mente de san Agustín una cierta frecuencia de imágenes. De las aproximadamente veinte veces que este texto es citado por san Agustín (en sus dos variantes, *tentari* y *temptari*), en cerca de una cuarta parte de las veces da pie a imágenes. Por ello hemos escogido algunas de ellas.

Las dos primeras imágenes aparecen en la carta 41, en la que Agustín bellamente nos invita a dar siempre gracias a Dios. El texto agustiniano nos invita a vivir siempre en acción de gracias, reconociendo los beneficios recibidos de Dios, pues no puede haber una palabra mejor y más dulce. El texto invita a la reflexión: "¡Gracias a Dios! Pues, ¿qué cosa mejor podemos saborear en el alma, llevar en la boca y expresar con la pluma que 'gracias a Dios'? Nada puede decirse con mayor brevedad, ni oírse con mayor complacencia, ni entenderse con mayor sublimidad, ni realizarse con mayor provecho" (*ep.* 41, 1).

En esta misma carta 41, san Agustín, además de invitarnos a reflexionar sobre la importancia del agradecimiento, expresa personalmente su gratitud al obispo Aurelio de Cartago, quien acababa de ordenar a algunos monjes de su monasterio. Son estos monjes recién ordenados, quienes como ministros del Señor y dispensadores de la palabra se convertirán en santas hormigas y en sagradas abejas, poniendo siempre su confianza en Dios, para que a pesar de las tentaciones que puedan afrontar, tanto ellos como la grey que les ha sido confiada, puedan llegar hasta la meta final de su camino, puedan llegar a Dios, pues nunca serán tentados más allá de sus fuerzas y capacidades:

> Benditos sean los pequeños y los grandes, que se regocijan en quienes les dicen: "Iremos a la casa del Señor". Procedan éstos y sigan aquéllos, siendo sus imitadores como ellos lo son de Cristo. Llénense de actividad el ca-

> mino de las santas hormigas, dé buen olor la obra de las sagradas abejas, manténganse el fruto en la tolerancia con la sana intención de llegar hasta el fin. "No permita el Señor que seamos tentados más de lo que podemos tolerar, mas denos junto con la tentación, el éxito en la resistencia" (1Cor 10, 13) (*ep*. 41, 1).

En la narración o comentario al salmo 93, insiste san Agustín que aún no hemos llegado a la posesión de aquellos bienes que Dios nos ha prometido, por lo que en este tiempo de esperanza hay tribulaciones y tentaciones, pero que Dios no busca en las tentaciones la destrucción del creyente y del fiel, sino su edificación y su maduración. Para ello utiliza san Agustín, después de citar el texto paulino en cuestión, la imagen del alfarero que coloca el cántaro en el horno no para que el cántaro se rompa, sino para que el cántaro se cueza, adquiera solidez y madurez. Esta es la finalidad de las tentaciones, llevar a la madurez y a plenitud en el creyente fiel, el plan de Dios, sabiendo que la fuerza de Dios y su fidelidad lo sostienen: "Fiel es Dios, el cual no permitirá que seáis tentados sobre lo que podéis soportar, antes hará con la tentación la salida, el éxito para que podáis sobrellevarla. De este modo introducirá el vaso en el horno de la tribulación para que sea cocido y no se rompa" (*en. Ps*. 93, 27).

Esta misma imagen de la alfarería se repite en la narración al salmo 94, donde el acento cae ya no en el cántaro mismo o en el horno de la tribulación y de la tentación, sino en la importancia de confiar en las manos del alfarero y de permanecer confiadamente aferrado a las mismas manos del alfarero, sin ser removido de ellas por la tribulación o la tentación, pues las manos de este alfarero que es Dios, como artífice amoroso y paterno, sabe lo que hace con su propia obra y la moldea y ajusta para que llegue a su plenitud:

> Oye al apóstol: "Fiel es Dios, el cual no os dejará ser tentados más de lo que podéis soportar"; antes bien con la tentación hará también (el éxito) la salida para que podáis sobrellevarla. No dice: "Permitirá que seáis tentados inconsideradamente". Si recusas la tentación, recusas la restauración o reparación. Eres restaurado, y, si lo eres, te encuentras en manos del Artífice. Te quita algo, te corrige, te pule, te limpia; se vale de algunas herramientas; ellas son los escándalos de este mundo; tú no te escapes de la mano del Artífice. Ninguna tentación afrontarás sobre tus fuerzas. Esto lo permite Dios para tu provecho, pues así progresarás (*en. Ps.* 94, 9).

Y esta misma imagen de la mano de Dios, se vuelve a presentar una vez más cuando en la narración al salmo 120, san Agustín comenta este texto paulino. Lo fundamental del creyente que es tentado no es saber que tiene él mismo una mano hábil que lo puede defender, sino sobre todo saber que la mano diestra que lo puede salvar y siempre lo protege es la mano de

Dios, la vida del creyente está siempre en esa mano y la fe no es otra cosa que la expresión viva de que la propia existencia es serena y pacífica, a pesar de las tribulaciones y tentaciones, porque hay una mano más poderosa que todas nuestras propias capacidades, que es la misma mano de Dios:

> ¡Ay del hombre aquel a quien el Señor no le proteja su fe! Esto quiere decir que Dios no permite que seas tentado más de lo que puedes soportar, según dice el apóstol: "Fiel es Dios, el cual no os dejará ser tentados sobre lo que podéis". Aun cuando ya seamos fieles, aun cuando ya la mano de nuestra derecha se halla en nosotros, el mismo Dios, que no permite que seamos tentados más de lo que podemos, nos protege sobre la mano de nuestra derecha. No nos basta tener la mano de la derecha si Él no protege también la misma mano derecha (*en. Ps.* 120, 11).

Pero las tentaciones también vienen de saber que dentro de la misma comunidad de los fieles y de los amigos de Dios, se da el mal, la presencia de la paja en medio del trigo. Una paja que se convierte por su mala conducta y por sus malas actitudes en una tentación continua para los que quieren ser grano limpio de Dios. También a ellos, los que son grano se les invita a considerar que deben ser pacientes y a saber que nada escapa al plan de Dios, y que su convivencia con los que son todavía paja, es para su propia edificación y que nunca serán una tentación o una ocasión de tropiezo que supere sus propias fuerzas o capacidades:

> Escuchadme, granos; oídme los que sois lo que quiero que seáis; escuchadme granos. No os entristezca la mezcla de paja: no os acompañará por siempre. ¿Cuánto pesa la paja? Gracias a Dios, es leve. Preocupémonos sólo de ser grano, y por mucha que ella sea, no os oprimirá. Dios es fiel, y no permitirá que seamos tentados por encima de nuestras fuerzas; al contrario, con la tentación dará también la salida para que podáis soportarla. Escúcheme también la paja; escúcheme dondequiera que esté (...) Escucha, pues; te sea de provecho la paciencia de Dios; que el contacto y la amonestación del grano te conviertan en grano (s. 223, 2).

Algunos textos en los que san Agustín comenta 1Cor 10, 13

*Cuando somos tentados entramos; cuando vencemos la tentación, salimos (...) Si los hombres justos son semejantes a los vasos de alfarero, es necesario que las vasijas del ollero entren en el horno. Con todo, el alfarero no está seguro cuando entran, sino cuando salen. Sin embargo, el Señor está seguro porque sabe quiénes son suyos, y quiénes han de hacerse añicos en el horno. No estallan los que no conservan viento de soberbia. Luego la humildad guarda en toda tentación, puesto que desde el valle de lágrimas subimos cantando el cántico de ascensión y el Señor guarda la entrada para que entremos salvos. Nos hallemos con robusta fe al sobrevenir la tentación, y el Señor guardará la salida desde ahora y para siempre. Cuando salgamos de toda tentación, ya no nos aterrará jamás tentación alguna, no nos incitará concupiscencia alguna en adelante. Oye al apóstol conmemorando esto mismo (...): Fiel es Dios, el cual no permitirá que seáis tentados sobre lo que podéis soportar (*en. Ps.* 120, 14).

*Suceden, pues, las tentaciones de Satanás, no por su poder, sino con permiso del Señor para castigar a los hombres por sus pecados o para probarlos y ejercitarlos en referencia a la misericordia de Dios (...) Hay pues tentaciones humanas, creo, como sucede cuando uno con buena intención, según los límites de la humana debilidad, se equivoca en algún proyecto o se irrita contra algún hermano con la intención de corregirlo, pero un poco más allá de lo que pide la serenidad cristiana. A ésta se refiere el apóstol cuando dice: "No os ha sobrevenido tentación que no fuera humana", y él mismo dice: "Peor fiel es Dios, que no permitirá que seáis tentados sobre vuestras fuerzas, sino que de la misma tentación os hará sacar provecho, para que podáis sosteneros" (1Cor 10, 13). Con este pensamiento muestra suficientemente que no debemos orar para no ser tentados, sino para que no caigamos en la tentación (*s. dom. m.* 2, 34).

*Arrojado el demonio de su imperio y de los corazones de los fieles, sobre los cuales, condenado y todo, señoreaba en virtud de su maldición e infidelidad, sólo puede combatirnos en esta vida mortal en la medida que le es permitido, de quien las Sagradas Escrituras por boca del Apóstol dicen: "Fiel es Dios, que no permitirá que seáis tentados sobre vuestras fuerzas, sino que dispondrá con la tentación el éxito para que podáis resistir. Sobrellevados estos males con espíritu de piedad por los fieles, son muy útiles para enmienda de los pecados, ejercicio y probación de la justicia, demostración de las miserias de esta vida, y para que con mayor ardor se desee y se busque con más afán aquella vida cuya felicidad es verdadera y eterna" (*trin.* 13, 20).

*Si el diablo pudiera perjudicar tanto cuanto quiere, no quedaría ni un justo ni un creyente en la tierra. Él empuja mediante sus secuaces como a la pared ladeada; pero solamente empuja tanto cuanto se le permite. Pero el Señor sustenta para que no se caiga la pared, puesto que quien da el poder al tentador ofrece al tentado su misericordia. Al diablo se le permite tentar con medida (...) No temas al tentador, a quien se le permitió tentar en algo, pues tienes de tu mano al misericordiosísimo Salvador. Únicamente se le permite que te tiente tanto cuanto te aproveche, a fin de que seas ejercitado y probado, para que tú, que te desconocías, te conozcas a ti mismo. ¿En dónde o por qué debemos estar seguros si no es por el poder y la misericordia de Dios, conforme a la sentencia del apóstol: "Fiel es Dios, y no permitirá que se os tiente más de lo que podéis?" (1Cor 10, 13) (*en. Ps.* 61, 20).

Para tu reflexión personal

–¿Cómo afronto la tentación en mi vida personal? ¿Soy consciente de que en muchas ocasiones la tentación está hecha a mi "imagen y semejanza", es decir, que se convierte en un reflejo desde el otro lado del espejo: de los lados oscuros y conflictivos de mi vida?

–¿Me doy cuenta de lo que digo cada vez que rezo el Padre nuestro, "no nos dejes caer en la tentación"? ¿Soy consciente del valor espiritual y pedagógico en el plan de Dios, que tienen las tentaciones?

–De tus momentos de prueba, de tribulación y de sufrimiento, ¿qué es lo que has aprendido? ¿Te han servido para ser más comprensivo, te han hecho más cercano al que sufre, te han abierto el corazón para acoger a quien pasa por momentos difíciles?

–Cuando has atravesado momentos de prueba, ¿tuviste presente el poder salvador de Dios? ¿Recurriste al poder sanador de la oración? ¿Llegaste a creer que Dios te había olvidado? No olvides que nuestras vidas están en sus manos y que nada sucede sin que Él lo quiera o lo permita. Cógete fuerte a esta mano poderosa y amorosa.

"La gran tentación de esta vida consiste en (...) la que trata de inducirnos a la venganza. Pierdes en ella lo que te podría procurar el perdón para los restantes delitos" (s. 57, 11).

SED LO QUE VEIS, RECIBID LO QUE SOIS

1Cor 12, 27; 1Cor 10, 17 / *s*. 227; *s*. 272

"Ahora bien, vosotros sois el cuerpo de Cristo, y sus miembros cada uno a su modo" (1Cor 12, 27).

"Porque uno solo es el pan, aun siendo muchos, un solo cuerpo somos, pues todos participamos del mismo pan" (1Cor 10, 17).

La escueta afirmación paulina de la carta a los Corintios "vosotros sois el cuerpo de Cristo" (1Cor 12, 27), le hace meditar a san Agustín sobre la dimensión eclesial y comunitaria que implica la vocación cristiana, así como la importancia de la espiritualidad de comunión, por ello san Agustín dirá lapidariamente: "Sed lo que veis, recibid lo que sois" (*s*. 272).

El cristiano está llamado a vivir con la dignidad y la santidad propia del cuerpo de Cristo, de la Iglesia, por ello debe esforzarse en vivir una vida en continua conversión, luchando contra todo aquello que tienda a apartarle del camino de Dios, para que pueda ser un miembro sano, vivo y que da fruto dentro del cuerpo de Cristo. Por ello comenta también san Agustín: "No recele la unión de los miembros, no sea un miembro canceroso que merezca ser cortado, ni miembro dislocado de quien se avergüencen; sea hermoso, esté adaptado, esté sano, esté unido al cuerpo, viva de Dios para Dios; trabaje ahora en la tierra para que después reine en el cielo" (*Io. eu. tr.* 26, 13-14).

Pero el poder ser miembros del gran cuerpo de Cristo que es la Iglesia, es un don de Dios, es una gracia, la misma gracia que llama y que redime. Cada vez que se recibe el cuerpo y la sangre de Cristo, el creyente recibe aquello mismo que él es, con las implicaciones morales y teológicas que esto encierra. Por eso san Agustín añade este elemento en otro de sus escritos: "Vosotros sois lo que recibís por la gracia con la que habéis sido redimidos" (*s. Guelf.* 7).

Ser cuerpo de Cristo y vivir en la comunión significa amar la unidad, buscarla y fomentarla a través de todos los medios posibles, evitando todo aquello que pueda atentar contra la comunidad, de una manera particular el pecado y la disensión, que rompen la comunión. Para ello san Agustín comenta un segundo texto paulino como una invitación a construir la unidad dentro de la comunidad. Y así como el pan no ha sido hecho de un solo grano, del mismo modo la comunidad no está formada por una sola persona, sino que está conformada por diversos miembros que deben morir a su propio yo, para que nazca el nosotros. Por ello, comentando el texto paulino de 1Cor 10, 17, san Agustín afirma:

> El apóstol dice "somos muchos, pero somos un solo pan y un solo cuerpo" (1Cor 10, 17). Así explicó el sacramento de la mesa del Señor: somos muchos, pero somos un solo pan y un cuerpo. En este pan veis cómo habéis de amar la unidad. ¿Por ventura fue hecho este pan de un solo grano de trigo?, ¿no eran muchos los granos? Pero antes de llegar a ser pan estaban separados; el agua los juntó después de bien molidos, porque si el trigo no se muele y se amasa con agua, no puede tomar la forma que se llama pan (*s*. 227).

Esta meditación paulina sobre la unidad propia del cuerpo de Cristo que son los mismos fieles, le lleva a san Agustín a pronunciar tal vez una de las frases más conocidas sobre el admirable sacramento de la Eucaristía, como aquello que nutre la vida-piedad de los fieles, como el sacramento que invita a vivir en la unidad y en la comunión con todos aquellos que conforman el cuerpo de Cristo y finalmente a vivir profundamente unidos por los lazos de la caridad: "¡Oh, sacramento de piedad!, ¡oh, símbolo de unidad!, ¡oh, vínculo de caridad! Quien quiera vivir, aquí tiene dónde vivir, tiene de dónde vivir. Acérquese, crea, forme parte de este cuerpo para ser vivificado" (*Io. eu. tr*. 26, 13-14).

En verdad para san Agustín la Eucaristía es sacramento de piedad, pues en él se manifiesta la mayor reverencia que se puede expresar a Dios, sin olvidarse de los hombres. Dar culto a Dios implica el reconocer la vinculación singular que se tiene con los hombres, los deberes que se tienen con ellos, pero siempre en el escalonamiento subordinado de Dios.

La Eucaristía es símbolo de unidad, pues como hemos afirmado, es el modelo de la unión y de la comunión que debe existir dentro de la comunidad. De este modo, la Eucaristía es un reclamo de unidad, como una exhortación silenciosa pero patente, de lo que la comunidad está llamada a ser, el cuerpo de Cristo, en el que se han unido muchos cuerpos, muchos corazones y almas, que forman ahora, por la fuerza de la gracia del Espíritu Santo, el único cuerpo de Cristo y el alma única del Señor.

La Eucaristía es vínculo de caridad pues es el amor lo que une y fusiona a los diversos miembros de una comunidad, haciendo de muchos una sola realidad y ratificando la idea de la unidad que debe darse de todos en el cuerpo de Cristo. La caridad del mismo Cristo manifestada en su entrega en la Eucaristía es la que fusiona y une a los miembros de una comunidad para que desde ese amor lleguen a formar un solo cuerpo, pues como dice san Pablo, "el pan es uno y nosotros aunque somos muchos formamos un solo cuerpo" (1Cor 10, 17) .

Algunos textos en los que san Agustín comenta 1Cor 12, 27

*Felicitémonos, pues, a nosotros mismos y seamos agradecidos; se nos ha hecho llegar a ser no sólo cristianos, sino Cristo mismo. ¿Os dais cuenta, hermanos, comprendéis lo que Dios nos ha hecho? Es para que os llenéis de admiración y de alegría. Se nos ha hecho llegar a ser Cristo mismo. Porque si Él es la cabeza nosotros somos los miembros, todo el hombre es Él y nosotros (...) Luego la plenitud de Cristo o todo el Cristo es la cabeza y los miembros. ¿Cuál es la cabeza y cuáles son los miembros? Cristo y la Iglesia. Gran soberbia sería, pues, arrogarnos tal honor, si Él mismo no se hubiera dignado prometérnoslo por el apóstol: Vosotros sois el cuerpo de Cristo y sus miembros (*Io. eu. tr.* 21, 8).

*Y dado que Él es la cabeza y nosotros los miembros, no hay más que un único Hijo de Dios, y quien ama al Hijo de Dios ama al Padre. Y nadie puede amar al Padre si no ama al Hijo, y quien ama al Hijo ama también a los hijos de Dios. ¿A qué hijos de Dios? A los miembros del Hijo de Dios. Y, al amarle, se hace también él mismo miembro y, por el amor, entra a formar parte del único organismo que es cuerpo de Cristo y habrá un único Cristo amándose a sí mismo. Pues cuando los miembros se aman mutuamente, el cuerpo se ama a sí mismo. Y si sufre un miembro, sufren con él todos los demás; y si recibe gloria un único miembro, se alegran con él todos los restantes. ¿Y cómo sigue? Mas vosotros sois el cuerpo de Cristo y sus miembros (...) Por tanto cuando amas a los miembros de Cristo, amas a Cristo; cuando amas a Cristo, amas al Hijo de Dios; cuando amas al Hijo de Dios, amas también al Padre (*Io. ep. tr.* 10, 3).

*Vosotros –dice el apóstol– sois el cuerpo y miembros de Cristo. Luego si Él es la cabeza y nosotros el cuerpo, habla un solo hombre; y ya hable la cabeza o los miembros, habla un solo Cristo. Además, es propio de la cabeza hablar en representación de los miembros. Observa nuestro modo de ser. Primeramente ved cómo entre nuestros miembros sólo puede hablar la cabeza, y después notad cómo habla nuestra cabeza en representación de todos los miembros. En la apretura te pisa el pie alguno; la cabeza dice: "Me pisas". Te hirió alguno la mano, la cabeza dice: "Me heriste". Nadie tocó la cabeza, pero habla la trabazón del cuerpo (...) Luego oigamos hablar así a Cristo, pero cada uno reconozca en Él su voz por pertenecer al cuerpo de Cristo (*en. Ps.* 140, 3).

*Porque vosotros, dijo el apóstol, sois cuerpo y miembros de Cristo. A vosotros pregunto, miembros de Cristo: "¿Quién os dio a luz?" Responderéis: "La madre Iglesia". Pues, ¿cómo no será madre de Cristo la Iglesia, que da a luz a los miembros de Cristo? Esta es la casa en que prefirió habitar aquel que pedía una sola cosa. ¿Cómo no renunciará a la esposa quien desea habitar en la esposa de Cristo? ¿Cómo no desdeñará a la madre quien quiere habitar en la madre de Cristo? ¿Cómo no desdeñar al padre quien quiere tener por padre al Padre de Cristo? No se irriten los padres. Mucho se los estima cuando se les antepone sólo Dios. Si no quieren que se les anteponga Dios, ¿qué quieren o qué reclaman? Escuchémosles. Pienso que no osarán decirnos: "¡Prefiérenos a Dios!" No lo dicen. Eso no lo dice nadie, ni un loco. No se lo dice a su hijo ni siquiera aquel que dice en su corazón: "No hay Dios". De ningún modo se atreverán el padre o la madre a decir eso: "Que se les prefiere a Dios". No digo que se les anteponga, pero ni siquiera que se les compare. ¿Qué dicen entonces? Dios te ha dicho. ¿Qué me ha dicho Dios? Honra a tu padre y a tu madre. Lo reconozco, Dios me lo dijo. No te irrites cuando, frente a ti, sólo prefiero a aquel que lo dijo. Yo amo, amo decididamente y te amo también a ti. Sin embargo el que me enseñó a amarte a ti es mejor que tú. Basta que no me lleves contra él y que ames conmigo al que me enseñó a amarte a ti, pero no más que a él (*s.* 65 A= s. Etaix 1).

Para tu reflexión personal

–¿Cómo recibo la Eucaristía? ¿Tomo consciencia de que es real y sustancialmente el cuerpo de Cristo? ¿Qué hago después de comulgar, me recojo en silencio o la presencia de Cristo me pasa desapercibida?

–¿Tomo consciencia de que cada vez que recibo la Eucaristía me uno de una manera más íntima al cuerpo de Cristo y que estoy llamado a vivir en paz y en concordia con todos los miembros del cuerpo de Cristo?

–¿Vivo verdaderamente una espiritualidad de comunión, es decir, unido íntimamente a Cristo cabeza y, a la vez, en una unión concorde con mis hermanos que son miembros del cuerpo de Cristo o, más bien, vivo una espiritualidad equívoca que no me compromete a hacer nada por mis hermanos?

–¿Vivo una vida eucarística, es decir, siempre dando gracias a Dios por todos sus beneficios, particularmente el don del sacramento del cuerpo y de la sangre de Cristo o, más bien, veo siempre todos los elementos negativos que puede haber en mi vida y continuamente me quejo y le reclamo a Dios?

"Para que el hombre comiera el pan de los ángeles, el Creador de los ángeles se hizo hombre" (*en. Ps.* 134, 5).

EL ÁRBOL DE LA CRUZ TIENE COMO RAÍZ EL AMOR (O UNA PREGUNTA RETÓRICA)

Ef 3, 14. 16-19 / *en. Ps.* 103, 1, 14; *s.* 165, 2-3; *en. Ps.* 51 12; *ep.* 140, 26, 63

"Por eso doblo mis rodillas ante el Padre, (…) para que os conceda, por la riqueza de su gloria, fortaleceros interiormente, mediante la acción de su Espíritu;[17] *que Cristo habite por la fe en vuestros corazones, para que, arraigados y cimentados en el amor,*[18] *podáis comprender con todos los santos la anchura y la longitud, la altura y la profundidad,*[19] *y conocer el amor de Cristo, que excede a todo conocimiento, y os llenéis de toda la plenitud de Dios"* (Ef 3, 14. 16-19).

Estamos acostumbrados, cuando vamos a una iglesia o capilla, a ver imágenes, cuadros o pinturas de Cristo en la cruz. Muy posiblemente, como nos lo dicen los especialistas, san Agustín nunca vio representado a Cristo en la cruz. El arte paleocristiano, cuyos mejores ejemplos los tenemos no sólo en las catacumbas romanas, sino también en los sarcófagos paleocristianos de la era posconstantiniana, nunca representaron a Cristo en la cruz. Lo representan como el filósofo sabio o, bien, como el nuevo Apolo imberbe, quien en nombre de Dios y como Dios realiza signos y prodigios. También se le representa con la figura clásica del pastor, llevando en hombros a la oveja, una figura que tiene no sólo ecos evangélicos, sino también paganos, pues Mercurio era también considerado como el *Psicopompos*, es decir, como el que conducía, representado como pastor, las almas al más allá. Parece ser que la primera representación de Cristo en la cruz es de la Iglesia de santa Sabina de Roma, cuya elaboración coincidiría con la fecha de la muerte de san Agustín. No obstante, a pesar de que san Agustín no tenía en su propio imaginario religioso la efigie de Cristo en la cruz, su predicación no puede pasar por alto este acontecimiento salvífico. Habla continuamente de ella e invita a sus oyentes a tomar junto con Cristo su cruz de cada día.

En este sentido es iluminadora la explicación alegórica que hace san Agustín del texto que nos atañe Ef 3, 14. 16-19, donde el apóstol hace una hermosa oración en la que declara que dobla sus rodillas ante Dios, el Padre, para que les conceda a los fieles que por la fe Cristo habite en sus corazones, para que enriquecidos y cimentados en la caridad, puedan comprender cuál es la anchura, la largura, la altura y la profundidad del misterio de Cristo. San Agustín interpretará en dos textos suyos, estas palabras como haciendo referencia a la cruz. Para ello, hace una lectura del texto de Ef 3, 14. 16-19 a partir del texto de Gál 6, 14 "Pero que a mí no me acontezca el gloriarme sino en la cruz de nuestro Señor Jesucristo". En el primer texto que vamos a presentar, la vinculación del pensamiento agustiniano con ambos textos paulinos es sumamente clara y la explicación que hace de las diversas dimensiones de la cruz de Cristo es de gran valor:

> Escucha al mismo apóstol que te dice: "Pero que a mí no me acontezca el gloriarme sino en la cruz de nuestro Señor Jesucristo". Gloriémonos también nosotros en ella (...) Quizá encontremos allí la anchura, la longitud, la altura y la profanidad. En cierto modo se nos ha puesto ante los ojos la cruz mediante las palabras del apóstol. Tiene, en efecto, su anchura sobre la que se clavan las manos; su longitud: lo que va hasta la tierra desde aquélla; tiene también su altura: lo que sobrepasa en madero transversal sobre el que se clavan las manos, donde se sitúa la cabeza del crucificado; tiene igualmente su profundidad, es decir, lo que se clava en la tierra y no se ve. Contempla el gran misterio: de la profundidad que no ves surge todo cuanto ves (*s.* 165, 3).

Y precisamente de este misterio es del que va a hablar a continuación con gran detalle, explicando cada una de las partes de la cruz que acaba de enunciar. Comienza con la anchura, donde es preciso tener presente la imagen y la sugerencia que san Agustín acaba de hacer, en la anchura de la cruz, es decir, en el travesaño horizontal se han clavado las manos del Señor. Así pues, tomando en cuenta esta imagen y que con las manos es con las que realizamos obras materiales, san Agustín prosigue explicando lo que es la anchura: "La anchura es, por lo tanto, la caridad, pues sólo ella obra el bien. La anchura hace que Dios ame al que da con alegría" (*s*. 165, 4).

Y aquí se nos hace una interesante advertencia a obrar el bien y a hacer el bien desde la caridad, pero no con tristeza, sino con alegría, pues cuando se da con tristeza, se pierde aquello que se ha dado y que sin embargo la caridad es la que convierte la tristeza en el dar y en el darse en gozo: "En efecto, su ha pasado estrechez, dará con tristeza; y si da con tristeza perece lo que da. Necesitas pues la anchura de la caridad, para que no perezca nada del bien que haces" (*s*. 165, 4).

Así pues, para san Agustín será muy importante el actuar desde el amor y la caridad, pero siempre con alegría. Una cita muy comentada por san Agustín será la de Dios ama al que da con alegría.

Pero volviendo a la cruz de Cristo, san Agustín continúa explicando sus partes. A continuación expone de manera más extensa lo que es la longitud de la cruz, es decir, el travesaño vertical en el que estuvo clavado el cuerpo de Cristo, haciendo la interpretación de este texto paulino de Ef 3, 14-16 a la luz del texto de Mt 24, 13. Así lo explica san Agustín: "¿Qué es la longitud? Quien persevere hasta el final, ése se salvará. Tal es la longitud de la cruz sobre la cual se extiende todo el cuerpo, en el que en cierta manera está fijo, y estando fijo, persevera (…) Tú que te glorías en la cruz (…) si quieres poseer su longitud, ten la longanimidad de la perseverancia" (*s.* 165, 4).

Y siguiendo su descripción, san Agustín nos invita a mirar la altura que tiene la cruz, la parte del travesaño vertical que mira hacia el cielo y que nos debe recordar, uno de los reclamos agustinianos más continuos, el de tener puesto el corazón en las cosas de arriba: "Pero si quieres poseer la altura de la cruz, reconoce lo que escuchas y dónde lo escuchas: '¡En alto el corazón!' ¿Qué significa eso? Pon allí tu esperanza y tu amor; busca allí la fuerza, espera de allí la recompensa" (*s.* 165, 4).

Y es tal la importancia del sentido sobrenatural que deben tener las buenas obras y la perseverancia en el obrar, que sin esta perspectiva redimensionadora, las obras serían vanas y la perseverancia en ellas carecería de sentido, pues la altura de la cruz no es otra cosa que el amor y si falta el amor en la conducta, en el pensamiento y en la vida de una persona, como dice el mismo apóstol, todo lo que se haga, sea lo que sea "no sirve de nada". San Agustín lo explica de la siguiente manera: "Pues si obras el bien y das con alegría, te encontrarás en posesión de la anchura. Y si perseverares hasta el fin en esas buenas obras, te hallarás en posesión de la longitud. Pero si todas esas cosas no las haces con vistas a la recompensa celeste, carecerás de la altura y desaparecerá tanto la anchura como la longitud. ¿Qué otra cosa es tener la altura, sino pensar en Dios y amarle a él?" (*s.* 165, 4).

En otro texto san Agustín explica que esas buenas obras hechas por amor y significadas en una de las dimensiones de la cruz, se deben extender incluso de la benevolencia hasta el amor a los enemigos y el poder perseverar a pesar de las molestias que este amor pueda traer como consecuencia: "(...) la anchura de las buenas obras, por las que se extiende la benevolencia hasta el amor a los enemigos; cuál es la longitud, para tolerar con fortaleza de ánimo las molestias en la mencionada anchura (...)" (*ep.* 140, 26, 63).

Y volviendo una vez más al sermón 165, es preciso comentar que san Agustín a continuación se va a extender sobre una primera conclusión a la que conduce la interpretación alegórica del texto de Ef 3, 16-19. Las palabras del apóstol se interpretan como una descripción de la cruz del Señor, pero el fundamento y la consecuencia a la que nos debe llevar la misma lectura espiritual de las dimensiones de la cruz no es otra que el amor. Un amor a Dios que sea gratuito, que encuentre en el amar su propia recompensa, lo que será para san Agustín el amor casto, el amor que encuentra en el mismo amar su propia paga y que no busca otra cosa fuera del amar. Este amor desinteresado, amor de ágape, es el que da valor a los obras de los creyentes y es el amor que salva. Se trata de un amor que reconoce que todo es don de Dios, y así lo señala san Agustín en este sermón con un tono sutilmente antipelagiano, pues Dios nos da el amor para que lo amemos a él, Dios mismo nos da la gracia para que obremos el bien, por lo que las buenas obras y la perseverancia en las mismas son un don de Dios. Y finalmente la recompensa eterna y el recibir la corona eterna, no será otra cosa que un nuevo don de Dios, donde el Señor lo único que hará será coronar su propia obra en cada uno de nosotros. San Agustín, como una primera conclusión de la bella explicación del simbolismo y el significado de la cruz del texto de Ef 3, 16-19, lo expresa así en el sermón 165: "Amar gratuitamente a ese Dios que nos ayuda, que nos contempla, nos corona y otorga el premio y no esperar de él otra cosa que Él mismo. Si amas, ama gratuitamente; si amas en verdad, séale la recompensa que amas" (*s.* 165, 4).

Una segunda conclusión del significado y el simbolismo de la cruz contenido dentro de la explicación alegórica de Ef 3, 16-19 en este sermón 165, sería también una presentación de un tema que para san Agustín estará en la última etapa de su vida vinculado íntimamente con los otros dos temas que ya había presentado en la primera conclusión. Se trata del tema del misterio de Dios. El buscar la razón de por qué Dios concede de manera gratuita su gracia y prepara la voluntad del hombre para que éste se disponga a obrar el bien, es un misterio. Lo es también el poder conocer las razones por las que otorga, sin violentar la libertad del hombre, la gracia de la perseverancia en las buenas obras. Todos estos elementos misteriosos que quedan ocultos a los hombres dentro del designio salvador de Dios, están simbolizados para san Agustín en la profanidad de la cruz.

De manera muy plástica, san Agustín imagina, siguiendo las palabras de san Pablo en el texto que nos atañe, que la cruz de Cristo tiene una profundidad, es decir, que está hondamente clavada en la tierra. Esta profundidad representaría el misterio de la obra salvífica de Dios en donde entran en juego, como hemos mencionado con anterioridad, una serie de temas y elementos que preocuparán al obispo de Hipona fundamentalmente en los últimos años de su vida, dentro de la polémica pelagiana y lo que ha sido llamado también –posiblemente de manera equívoca– la polémica "antipelagiana", los temas de la gracia dada gratuitamente por Dios sin violentar la voluntad y libertad del hombre, la predestinación –entendida siempre como una llamada a la salvación y no a la condenación– y el don de la perseverancia.

Dios es el que da, el hombre por sí mismo no tiene ni puede nada. Este es el misterio representado, según san Agustín por la profanidad de la cruz. Así lo explica el doctor de la gracia: "A vosotros se os ha dado a conocer los misterios del reino, pero no a ellos. A quien tiene se le dará. ¿Quién tiene para que se le dé, sino aquel a quien se le ha dado? (…) ¿Quién es el que no tiene sino aquel a quien no se la ha dado?, ¿por qué, pues, a uno se la ha dado y a otro no?" No temo decirlo: "Esta es la profundidad de la cruz. De no sé qué profundidad del juicio de Dios, que no puede escrutarse ni contemplarse, de ahí procede todo lo que podemos" (*s.* 165, 5).

Se trata de una profundidad misteriosa, siempre leída por san Agustín con el parámetro y la clave del amor, no del destino fatal, como lo hacían los autores paganos, como Cicerón, entre otros. Un misterio que hace que san Agustín ante todo el plan de Dios, ante la redención llevada a cabo en la cruz por Jesucristo, a la que el hombre se incorpora por un designio maravilloso y gratuito de Dios, no pueda sino asombrarse y quedarse admirado. Un plan misterioso de Dios que va más allá de las igualdades –por lo menos nominales– de la mentalidad "democrática" del hombre contemporáneo, donde todo debería ser igual para todos. En el plan de Dios las cosas no son así, y esto no tiene una explicación racional. Él mismo manifiesta su incapacidad para dar razones de ello: "¿Por qué a éste sí y a aquél no? Es demasiado para mí, es un abismo, es la profundidad de la cruz. Puedo exclamar admirado, pero no puedo demostrarlo con discursos" (*s.* 165, 5).

Una segunda alusión a la cruz de Cristo aparece en la narración al salmo 103 en la que describe con mayor claridad las diferentes partes de la cruz y su propia delimitación, ya que explica la correspondencia con cada uno de los travesaños de la cruz y como el travesaño vertical tiene en sí tres partes, la correspondiente a la largura, que es el espacio donde estuvo clavado el cuerpo de Cristo, la altura, que es la parte de la cruz que sobresale por encima del travesaño horizontal y, la profundidad, que es la parte del travesaño vertical que está hondamente encajada en la tierra:

> Ya decía el apóstol a algunos: "Doblo mis rodillas por vosotros ante el Padre para que os conceda que, según el hombre interior, habite Cristo por la fe en vuestros corazones a fin de que seáis enriquecidos y comentados en la caridad (...) Para que podáis (...) comprender cuál sea la anchura, la largura, la altura y la profundidad". Quizá señala en esto la cruz del Señor, pues tenía anchura, en la cual extendió las manos; y largura, que se cuenta desde que comienza a verse a ras de tierra hasta el leño transversal, en el cual se clavó el cuerpo de Cristo; y la altura, que se eleva a partir del leño transversal hacia arriba; y la profundidad, que es la parte de la cruz clavada en la tierra en la que reside toda nuestra esperanza (*en. Ps.* 103, 14).

Y a continuación, de manera muy pedagógica, hace un resumen de lo que ya había expuesto en el sermón 165, sobre el significado de cada una de las partes que acaba de enunciar. Una vez más el propósito agustiniano es el de instruir a sus fieles y hacerles amar cada vez más la cruz de Cristo, recordando al mismo tiempo la importancia de vivir unidos a ella haciendo el bien: "La anchura simboliza las buenas obras; la largura, la perseverancia hasta el fin; la altura, la elevación del corazón, a fin de que todas nuestras buenas obras, en las que debemos perseverar hasta el fin, tengan, por una parte, anchura, con la cual obramos bien, y largura, con la cual perseveramos hasta el fin, y obremos con profundidad, puesta la esperanza únicamente en el premio celestial" (*en. Ps.* 103, 14).

Posteriormente san Agustín se extenderá explicando dos de las dimensiones de la cruz, para finalmente llegar a una conclusión. En primer lugar explica lo que es la altura de la cruz, invitando a sus fieles a recordar que el único motivo para obrar el bien y para perseverar en esas buenas acciones debe ser la recompensa eterna, cualquier otro motivo –como buscar una paga y recompensa inmediata en la tierra– es falso y no conduce a la salvación. Se trata de una interesante advertencia para nosotros que vivimos en la cultura de la idolatría del instante y de la inmediatez, todo debe ser aquí y ahora. San Agustín nos invita a ampliar horizontes y a mirar con la perspectiva de la fe: "La verdadera altura consiste en no buscar el premio aquí abajo, sino arriba, para que no se nos diga: 'En verdad os digo que recibieron su salario'" (*en. Ps.* 103, 14).

Un segundo elemento explicado con mayor extensión por san Agustín es el referente a la profundidad de la cruz. Sin embargo en esta ocasión, san Agustín no va a hacer referencia a los misterios insondables de Dios, sino a los *mysteria*, es decir, los sacramentos, particularmente al sacramento del bautismo y de la eucaristía, haciendo referencia de manera especial a los paganos, quienes pueden ver, como sucede con la cruz, una parte de la vida de los cristianos, pero no pueden ver la otra que queda oculta necesariamente a sus ojos, como sucede con la parte de la cruz que está profundamente clavada en la tierra. Es interesante señalar, en primer lugar, como san Agustín hace ver que las acciones, que son las cosas que los paganos ven, brotan y nacen de aquello que ellos no pueden ver, es decir, de los *mysteria* de Dios: los sacramentos. Y lo que no se puede ver, tiene en el texto agustiniano una doble significación. Por una parte se refiere a un elemento teológico y espiritual. La caridad y la gracia no se pueden ver. Los cristianos hacen y perseveran el bien obrar, con su mira puesta sólo en Dios, porque están movidos por la gracia y son impulsados por la caridad, realidades que no son visibles, aunque sus obras sí lo sean. Y en segundo lugar las realidades de *mysteria* cristiana son invisibles para los paganos, porque en el tiempo de san Agustín a los que no estaban bautizados no se les permitía participar en toda la celebración de la eucaristía, sino que finalizada lo que sería la liturgia de la palabra, todos los que aún no habían recibido el bautismo y todos los paganos o judíos que pudieran estar presentes, eran invitados a salir de la Iglesia. Lo que allí iba a suceder eran sólo ritos reservados para los iniciados. Por ello estos ritos son también para ellos "invisibles", como la parte clavada de la cruz: "La profundidad, que según dije, es la parte de la cruz que se fija en la tierra y no se ve, simboliza que de allí surgen las cosas que se ven. ¿Cuál es lo oculto y no lo público de la Iglesia? El sacramento del bautismo, el sacramento de la eucaristía. Los paganos ven nuestras buenas obras, pero no ven los sacramentos. De aquellas cosas que no ven, brotan las que se ven (...)" (*en. Ps.* 103, 14).

Una vez más la conclusión de la reflexión agustiniana sobre este texto será la del amor, siguiendo en ello las mismas palabras del apóstol con las que terminaba el texto de Ef 3, 14. 16-19, de tal forma que los creyentes amando a Cristo, viven amorosamente las realidades y dimensiones de la cruz: "Después de esto, ¿qué añade el apóstol cuando ya había dicho: 'Estando enraizados y cimentados en la caridad'? Para que podáis conocer la súper eminente ciencia de la caridad de Cristo. Amáis a Cristo, y por tanto, trabajáis en la cruz" (*en. Ps.* 103, 15).

Y este tema del amor, le va a llevar a san Agustín a hacer una hermosa reflexión como conclusión sobre la meditación sobre el significado simbólico y espiritual de las diversas dimensiones de la cruz. De este modo san Agustín les hace a sus oyentes –nos hace a nosotros sus lectores– una pregunta cuya respuesta no es fácil: (...) "¿por ventura le amáis tanto cuanto Él os ama?"

La respuesta lógica sería, por desgracia negativa en todos los casos (si alguien hubiera respondido afirmativamente a esta pregunta, ese sólo podría ser Pelagio o alguno de sus seguidores, y esta es la pregunta retórica para descubrir al adversario en medio de la asamblea, pues éste sin duda, impulsado por la soberbia, respondería un sonoro "¡Sí!" Lo que sigue después de esta respuesta soberbia lo dejamos a la imaginación del lector). Si pues, la respuesta ha sido negativa, para que los oyentes de san Agustín no se desalienten, éste los invita a que amen a Dios con todas sus fuerzas, pues esto es lo que Dios les pide y es el camino para poder conocer el inmenso e infinito amor de Cristo, aunque este amor siempre sea infinito e inalcanzable, como las alas del viento: "Amando todo lo que podéis amar, voláis a Él para conocer de qué modo os ama Él, es decir, para conocer la súper eminente caridad de Cristo. Vosotros amáis y voláis cuanto podéis, pero Él camina sobre las alas de los vientos (...)" (*en. Ps.* 103, 15).

Pero esta cruz de Cristo cuyas dimensiones quedan plasmadas para san Agustín en las palabras de san Pablo, se convierte en el árbol de la caridad que está llamado a tener raíces profundas y a dar fruto de buenas obras. Esta transformación simbólica de la cruz en el árbol de la caridad sigue la misma dinámica del texto paulino, ya que san Pablo habla a continuación, según la versión bíblica agustiniana, de estar enraizados y cimentados en la caridad. Esta figura de la raíz le lleva a san Agustín a dar el paso de la cruz, al árbol de la caridad o bien a hacer que el árbol de la cruz se transforme en árbol de caridad y de amor, en raíz de la que sólo pueden brotar frutos de amor, pues como dice san Agustín en otro texto, la caridad es una raíz de la que sólo pueden brotar frutos buenos. Así pues la caridad es una raíz: "La raíz está oculta. Pueden verse los frutos, pero no la raíz. Nuestra raíz es la caridad; nuestros frutos las buenas obras. Es necesario que tus obras procedan de la caridad; entonces tu raíz se hallará afianzada en la tierra de los vivientes" (*en. Ps.* 51, 12).

El amor es una raíz que da fundamento a los creyentes y cuyos frutos quedan plasmados en el árbol de la cruz, ya que a continuación san Agustín cita el texto de Ef 3, 14. 16-19, para concluir diciendo: "Digna de tales frutos es esta gran raíz, tan pura, tan vigorosa, tan profundamente arraigada en el germen" (*en. Ps.* 51, 13).

En la carta 140 a Honorato, añade una magna conclusión a los diversos comentarios que en sus distintos textos ha hecho a este texto de la carta a los Efesios. Y no puede ser otra que la proyección de toda la vida del creyente, viviendo las diversas dimensiones de la cruz en el misterio pascual. La cruz es camino que lleva hacia la Pascua y hacia la visión eterna de Dios, cuando llegue esa visión, la caridad será perfecta, la fe ya no será necesaria pues veremos y contemplaremos a Dios cara a cara y la esperanza no hará falta, pues ya se poseerá lo que se anhelaba alcanzar: "Pero en el siglo futuro habrá una perfecta y plena caridad, sin tolerancia alguna de males; ya no habrá fe para creer lo que no se ve; ni esperanza para desear lo que no se tiene; sino que se contemplará eternamente la inmutable visión de la verdad, cuya actividad quieta y eterna será alabar lo que se ama y amar lo que se alaba" (*ep.* 140, 26, 63).

Algunos textos en los que san Agustín comenta Ef 3, 19

*Porque la caridad perfecta excluye el amor y el temor del mundo, esto es la codicia de adquirir bienes temporales y el temor a perderlos. Por esas dos puertas entra y reina el enemigo, que debe ser arrojado primero con el temor de Dios y después por la caridad. Pues tanto más debemos apetecer el conocimiento manifiesto y sincero de la verdad cuanto más vemos que progresamos en la caridad y cuando más purificado tengamos el corazón con su simplicidad, porque con esa mirada interior se hace visible la verdad, según se dice: Bienaventurados los limpios de corazón, porque ellos verán a Dios (Mt 5, 8). Para que arraigados y apoyados en la caridad, alcancemos a comprender, con todos los santos, cuál es la anchura y la longitud, la altura y profundidad, y conozcamos también la supereminente ciencia de la caridad de Cristo, para que nos llenemos de toda la plenitud de Dios (Ef 3, 17-19). Y así, después de este combate contra el enemigo invisible, merezcamos la corona de la victoria, ya que, para los que lo quieren y lo aman, el yugo de Cristo es suave y su carga ligera" (Mt 11, 30) (*agon*. 35).

*Lo que nos manifiesta que, estando arraigados y cimentados en la caridad, podemos comprender con todos los santos cuál es la anchura, la longitud, la altura y la profundidad, esto es, la cruz del Señor, donde se entiende por anchura el madero transversal en que se hallan extendidas las manos; por longitud lo que hay desde la tierra hasta este madero, y en ella se fija todo el cuerpo de manos abajo; por altura, desde la anchura hasta lo más alto hacia arriba donde se apoya la cabeza; por profundidad, lo que metido en la tierra se oculta a nuestra vista. En este signo de la cruz se encierra toda la vida cristiana, como es el obrar bien en Jesucristo, el estar continuamente unido a Él, el esperar los bienes del cielo, el no divulgar los divinos misterios. Purificados por esta vida, podremos conocer también la supereminente ciencia de la caridad de Cristo, por las cuales igual al Padre y por quien fueron hechas todas las cosas, para que seamos llenos de toda plenitud de Dios (*doctr. chr.* 2, 62).

*¿Qué diremos entonces de la misma cruz, que sin duda fue fabricada y destinada a Cristo por los enemigos y por los impíos? Sin embargo, a ella se aplica lo que dice el apóstol: Cuál es la largura, la anchura, la altura y la profundidad (...) como todos saben, ¿cuál es la señal de Cristo sino la cruz de Cristo? Sin el uso de esta señal, ya en la frente de los fieles, ya en el agua que los regenera, ya en el crisma con que son ungidos, ya en el sacrificio con que son alimentados, ninguna de estas cosas queda totalmente terminada. ¿Cómo pues, podemos decir que ningún bien se encierra en lo que hacen los malos, cuando la cruz de Cristo que los malos fabricaron, es en la celebración de los sacramentos la señal de todo el bien que de Él nos viene? (*Io. eu. tr.* 118, 5).

*No sea que al recoger la cizaña, arranquéis juntamente el trigo. También los buenos, cuando todavía no están del todo fortalecidos, pueden beneficiarse de la presencia cercana de los malos, sea porque así ejercitan sus facultades, o porque al contraste con ellos les brote un fuerte impulso de mejorar. Cosa que eliminando de escena a los malos, la grandeza de la caridad quedaría como eliminada y marchita, que es tanto como decir erradicada. Ya lo dice el apóstol: "Radicados y fundamentados en la caridad, podáis comprender". Puede referirse también a que el trigo quede arrancado al arrancar la cizaña, en el sentido de que muchos, que en un principio son pura cizaña terminan por convertirse en buen trigo. Y si desde un principio no se los tolera pacientemente, a pesar de su maldad, no se les da la posibilidad de ese elogiable cambio. En conclusión: arrancando la cizaña, también se arrancaría el trigo, en el que con el tiempo se convertirán algunos si se les da la oportunidad con este consentimiento (*qu. Mt.* 11, 9).

Para tu reflexión personal

–¿Reflexiono en todos los bienes que proceden de la cruz de Cristo? ¿Medito sobre este tema o, más bien, me dejo llevar por el triunfalismo del mundo y olvido que la cruz es el signo más grande del amor de Dios por los hombres?

–¿Imito la actitud de los brazos abiertos de Cristo en la cruz, siendo acogedor con todas las personas, estando siempre dispuesto a ayudar a quien me necesita o, más bien, vivo en una actitud de una cerrazón absoluta en mí mismo y en mis intereses?

–¿Vivo mi vida de creyente con una visión sobrenatural, es decir, siempre mirando hacia Dios y encontrando en él la razón última de todo lo que sucede en mi propia vida o, más bien, vivo una vida "de tejas abajo", viendo todo desde una perspectiva mundana y secular?

–¿Cómo vivo la realidad de los misterios de Dios, los acepto con fe, o incluso llego a dudar de mi propia fe al no poder explicar muchas cosas? San Agustín nos recordará la importancia de creer para poder comprender y ver la razonabilidad de los misterios propios de la fe.

"Por eso es necesario que (...) seamos transportados en el leño para pasar el mar. Este leño (...) es la cruz del Señor, con la que estamos sellados y nos libramos de la anegación del mundo" (s. 75, 2).

SI SON LAS DOCE DEL MEDIODÍA, NO PUEDEN VOLVER A SER LAS NUEVE DE LA MAÑANA, O EL AMOR LO VENCE TODO (*VERGILIUS DIXIT*)

Flp 1, 21 / *s.* 299 E (*Guelf* 30, 1)

"Pues para mí la vida es Cristo, y la muerte, una ganancia" (Flp 1, 21).

San Agustín de niño como de joven había aprendido de memoria muchas obras literarias de autores paganos. El estudio realizado en su juventud había calado tanto en su espíritu, que de mayor sigue recordando y citando de memoria en muchas de sus obras, fragmentos de poemas de Virgilio o bien partes de las obras de otros autores. Hay dos fragmentos de Virgilio que son particularmente queridos para san Agustín. El primero de ellos es: *trahit sua quemque voluptas,*[72] es de-

72. Virgilio, Bucólicas, II, 65. Citada por san Agustín en la *ep.* 17, 3; *Io. eu. tr.* 26, 4; *Io. eu. tr.* 26, 5.

cir, que cada uno es arrastrado por su propio gusto o afición en el que san Agustín ve cómo el ser humano se mueve por aquello que le gusta, por aquello que le resulta agradable. Freud lo hubiera llamado el *Lustprinzip*, san Agustín llevará esta frase virgiliana más lejos de la simple inclinación por lo placentero, como veremos. Una segunda frase virgiliana es: *amor vincit omnia*. Es verdad que esta segunda frase no aparece literalmente en las obras agustinianas, sin embargo si aparece la versión cristiana de san Agustín de la misma: *omnia caritas vincit* (*s*. 145, 4), el amor de Dios, la caridad es capaz de vencerlo todo, de llevar a quien ama a no arredrarse ante las dificultades y a hacer todo, incluso a dar la vida por aquella persona a la que ama. En esta misma línea va el comentario que san Agustín hace del texto de Flp 1, 21: "Para mí la vida es Cristo y el morir una ganancia".

Así para hablar de la fuerza y el ímpetu que debe tener el amor cristiano, la caridad de Dios, ya que *trahit sua quemque voluptas,* cada uno es arrastrado por su propio gusto, comienza haciendo el parangón con el amor mundano, con los amores pecaminosos, aquellos que por la promesa de satisfacción llevan a los amantes a afrontar grandes dificultades a pesar de la propia fragilidad y fugacidad de este tipo de amor. Así dice san Agustín: "Y si hasta el amor lascivo ha persuadido a sus amantes a que sufran con valor infinidad de cosas por sus bagatelas y delitos, y quienes acechan el pudor ajeno cierran los ojos a cualquier clase de peligro, ¡cuánto más fuertes deben ser en el amor de Dios los que aman a aquel de quien no pueden separarse ni en vida ni en muerte!" (*s.* 229 E, 1).

Así pues, en primer lugar san Agustín nos invita a mirarnos en este espejo, el del amor lascivo y el del amor desordenado, y a darnos cuenta de que si quienes viven esclavos de este amor son capaces de soportar todo tipo de contrariedades, ¡cuánto más deben estar listos a padecer y a soportarlo todo aquellos que dicen amar a Dios!

Enseguida san Agustín va a llevar este caso hasta el extremo. Quienes aman de manera mundana son capaces de arrostrarlo todo con tal de conseguir el amor que buscan y comenta el santo obispo de Hipona, incluso en algunos casos se exponen a peligros en los que pierden la vida, y al perderla, lo pierden todo, pues los amores carnales y mundanos son transitorios. A la luz de este arrojo y valentía del amor carnal, el amor de Dios debe irse configurando, guardando las respectivas distancias, con fortaleza y arrojo: "En efecto el amante impúdico perderá lo que ama en el caso de recibir la muerte por ello; en cambio, el valeroso y justo amante de Dios no sólo no lo perderá al morir, sino que mediante la muerte encontrará lo que amó" (*s.* 299 E, 1).

Así pues, san Agustín presenta la vida de todo hombre como una disyuntiva, es preciso elegir un amor, pues sólo el amor lo vence todo, como había dicho Virgilio, y sin el amor el hombre quedaría derrotado en su propio camino. Así pues el hombre debe elegir. Bien sea el amor de las cosas de la tierra, que hacen al hombre perecer y quedarse en la misma tierra, o bien, elegir el amor de Dios y ser transfigurados por él, de tal forma que aunque se pierda la morada terrenal y se afronte la muerte, nadie lo podrá separar de aquél a quien ama (Rm 8, 38-39). San Agustín ya lo había dicho bellamente en otra obra suya, para resaltar el poder transformador del amor: "Aferrad más bien el amor de Dios a fin de que, como Dios es eterno, también vosotros permanezcáis eternamente, pues cada cual es según su amor. ¿Amas la tierra? Eres tierra. ¿Amas a Dios? ¿Qué puedo decir? ¿Qué serás Dios? No me atrevo a decirlo por mi propia autoridad. Escuchemos las Escrituras: "Yo dije: 'dioses sois e hijos del Altísimo todos'" (*Io. ep. tr.* 2, 14).

La alternativa de elegir un amor, requiere el que se pueda ver qué es lo que ofrece cada uno de los amores. El amor del mundo hace culpables y está acompañado por el temor a la muerte. El amor de Dios purifica y hace que la persona pueda vivir con una serena alegría, sin temor a la muerte, como señala san Posidio de san Ambrosio, quien ante la muerte no temía, pues, "Tenemos un buen Señor".[73] Todos estos argumentos, deben guiar al ser humano al momento de tomar una decisión. San Agustín lo expresa de la siguiente manera:

73. *Vita Augustini*, 27.

"Elijamos, pues hermanos, el amor que haga nuestra vida inocente y nuestra muerte tranquila. Una vez elegido el amor, cuando todo nuestro ser sea poseído por Él, nuestro vivir será Cristo y el morir una ganancia" (*s.* 299 E, 1).

En las palabras anteriormente citadas san Agustín incorpora la cita paulina de Flp 1, 21; la vida de quien ama a Dios, debe ser Cristo, pero para ello, como bien expone san Agustín es preciso dar dos pasos. En primer lugar tomar una decisión clara por Cristo, por Dios, por su camino y sus valores. En segundo lugar es preciso empaparse de Cristo, dejarse configurar por Jesús desde lo más hondo de las propias entrañas; para ello es preciso morir a nosotros mismos, para que Cristo lo pueda ser todo en nuestro interior. Estas ideas las recoge san Agustín a continuación: "Al morir evitamos lo que odiamos y llegamos a lo que amamos" (*s.* 299 E, 1).

Y para convencer a sus oyentes de que deben amar a Dios, que nunca pasa, y cuyo amor dura para siempre –todo ello como una larga glosa del texto paulino de Flp 1, 21, pues la vida del creyente debe ser sólo Cristo y por ello la muerte es una ganancia–, les da una serie de ejemplos de la fugacidad e inanidad de la vida. En primer lugar, san Agustín reflexiona sobre la vaciedad de una vida mundana sin Dios donde se pueden sumar años, pero no alargar la vida, haciendo una interesante distinción entre el prolongar años y el vivir, distinción que tiene una importancia singular en nuestro mundo actual, donde en muchos casos, por temor a la muerte, se alargan los años, pero no se puede dar una calidad de vida o una vida que merezca verdaderamente este nombre: "Sumas años, la vida disminuye, lo que te queda es menos. En efecto, el sumar años no equivale a alargar tu vida (*s.* 299 E, 1).

Para acentuar este elemento y exhortar a los que aman el mundo a que mejor amen a Dios, para que su vida sea Cristo y de este modo la muerte no sea el final, san Agustín desarrolla magistralmente el tema clásico del *tempus fugit*, de la realidad efímera del tiempo y de la vida, que nunca puede volver atrás, porque se dirige hacia una meta: el encuentro definitivo de la misma historia con Dios: "Haz la cuenta sirviéndote de los dedos; que ellos te indiquen no los años que han pasado, sino los que te quedan y verás que se encaminan a la no existencia. Efectivamente, si ahora son las doce del mediodía, no puedes hacer que vuelvan a ser las nueve de la mañana" (*s.* 299 E, 1).

Para que verdaderamente la vida del creyente sea Cristo, es preciso poner en marcha el deseo y caminar por medio del amor para acercarnos a Dios, amando a quien nos ama y de quien nadie nos podrá separar ni en la vida ni en la muerte: "Se te va el día amando, se te acerca el Dios deseado. Ama aquello adonde puedas llegar con tu amor. Él es fiel, está a tu lado, ven a él" (*s.* 299 E, 1).

El poder hacer realidad la frase paulina, requiere una madurez en el amor. Se trata de un amor que debe ir creciendo y desarrollándose en el corazón del creyente. De este modo, san Agustín presenta la vida cristiana como un proceso de crecimiento donde la semilla del reino sembrada por Dios, va creciendo en el corazón de cada hombre y mujer hasta que llega a su plenitud, de tal forma que la vida del creyente ya no está puesta en sí mismo o en las cosas del mundo, sino sólo en Dios. Este proceso paulatino de crecimiento interior y de conversión continua y constante en la que Cristo se va configurando dentro del corazón de cada creyente queda claramente señalado en el texto del comentario a la carta de san Juan: "Esta es, pues, la caridad perfecta. Si hay alguno que tiene tal caridad que esté dispuesto incluso a morir por los hermanos, en ése la caridad ha alcanzado la perfección. Pero, ¿acaso es ya totalmente perfecta nada más con nacer? No; nace para alcanzar la perfección. Una vez que ha nacido, se nutre; nutrida, se fortalece; fortalecida, alcanza la perfección. Y una vez que ha alcanzado la perfección, ¿cómo se manifiesta? 'Para mí la vida es Cristo y una ganancia el morir'" (*Io. ep. tr.* 5, 4).

Si la vida del creyente es Cristo, el mismo hombre de fe se convierte en este mundo en un viandante y peregrino, que va marchando por esta vida buscando el reino de Dios, sin temor a las realidades de esta tierra, puesta su única esperanza es Dios. Y mientras realiza su camino este peregrino –además de realizar el camino con gozo y alegría, cantando y caminando (*s.* 256, 3)–, se convierte en pregonero de la paz, sin buscar en ello su gloria, o bien, una manera de ganarse la vida, sino buscando en ello al mismo Cristo:

"(...) yo en esta vida, en esta tierra; yo pobre, peregrino y gimiendo sin gozar todavía de tu paz, no la predico por mí, como lo hacen los herejes, que, buscando su gloria, dicen: 'La paz con vosotros' (...) Mas yo, dice, hablaba paz de ti. ¿Por qué motivo? Por causa de mis hermanos y de mis allegados; no por mi honra, no por mi dinero ni por mi vida, puesto que para mí el vivir es Cristo y el morir una ganancia (...)" (*en. Ps.* 121, 13).

Y san Agustín en otro texto apela a la sabiduría de san Cipriano para exhortar, en este caso concreto a los pelagianos, a no perseverar en sus errores, la herejía de la soberbia (*c. Iul.* 2, 7), y a reconocer que existe un justo juicio de Dios por el que merece la pena vivir sólo para Dios y para Cristo, y que si san Pablo veía la muerte como una ventaja no era porque fuera un "despreciador de la vida" (como en alguna ocasión llamaron los paganos a los cristianos), sino porque juzgaba mejor la vida futura y por ella reconocía que toda su vida era Cristo y que la muerte era una ganancia:

> San Cipriano (...) sabía muy bien que en la otra vida las buenas obras tendrán su recompensa, y las malas su castigo, y que nadie podrá cumplir allí los preceptos que aquí despreció; y a pesar de esto, entiende y afirma que el mismo apóstol san Pablo, que ciertamente no era despreciador de los divinos mandamientos, no por otra razón dijo: "Para mí la vida es Cristo y el morir una ganancia", sino porque reputaba máxima ganancia no estar atado después de esta vida con los lazos del siglo

ni estar expuesto a ninguna clase de pecados ni vicios de la carne (*c. ep. Pel.* 4, 28).

San Agustín nos narra una historia

Os voy a contar lo que hizo un hombre muy pobre cuando yo me encontraba en Milán. Era tan pobre que hacía de portero a un profesor de gramática; pero cristiano a carta cabal, aunque el gramático era pagano. Era mejor quien estaba a la entrada junto a la cortina, que quien se sentaba en la cátedra. Encontró una bolsa con cerca de doscientas monedas de oro, si no me engaño en el número; acordándose de aquella ley puso un anuncio público. Sabía que tenía que devolverla, pero ignoraba a quién. Puso un anuncio público: "Quien haya perdido monedas de oro venga a tal lugar y pregunte por fulano de tal". El que había perdido, y lloraba dando vueltas por todas partes, visto y leído el anuncio, se acercó a aquel hombre. Éste por temor a que viniese buscando lo que no era suyo, le pidió explicaciones preguntándole por el tipo de bolsa, por la imagen e incluso el número de las monedas. Y como sus respuestas acomodaron a la realidad, le devolvió lo que había encontrado. El otro, a su vez, lleno de gozo, queriendo corresponder a su honradez, le ofreció una décima parte, es decir, veinte monedas, que no quiso recibir. Le ofreció diez, y tampoco quiso aceptarlas. Le suplicó que aceptase al menos cinco y tampoco quiso.

Lleno de indignación, arrojó la bolsa al suelo diciendo: "Nada he perdido; si no quieres recibir nada de mí, tampoco yo he perdido nada" (...) Vencido al fin aquél, aceptó lo que se le ofrecía y, acto seguido, lo dio todo a los pobres, no dejando en su casa ni una sola moneda (*s.* 178, 8).

Para tu reflexión personal

–¿Me siento verdaderamente un peregrino y viandante hacia la casa de Dios o, más bien, soy del todo un ciudadano de este mundo y esto me lleva a olvidar a Dios?

–¿Es Cristo en realidad mi mayor tesoro, de tal manera que he puesto en él todo mi corazón y mis esperanzas, y teniéndolo a Él ya no me importa perderlo todo, pues con Él solo, ya lo tengo todo?

–¿Siento miedo ante la muerte? ¿Soy consciente de que la muerte no es el final sino que es sólo un tránsito para alcanzar a Dios y vivir para siempre en la eternidad con él y que por ello, como dice san Pablo, "la muerte es una ganancia"?

–¿Vivo totalmente orientado hacia el reino de Dios, de tal manera que en mi vida no existen pérdidas, sino que todo es ganancia, pues me ayuda a alcanzar más y mejor los premios y promesas de Dios?

"Al morir evitamos lo que odiamos y llegamos a lo que amamos" (*s.* 299 *E*, 1).

EL PRIMER TEXTO PAULINO CITADO POR SAN AGUSTÍN (O "¡QUE SE CALLEN LAS RANAS!")

1Cor 1, 24 / *Acad.* 2, 1, 2

"Mas para los llamados, lo mismo judíos que griegos, un Cristo, fuerza de Dios y sabiduría de Dios" (1Cor 1, 24).

Durante muchos años fue un lugar común en los estudios agustinianos decir que san Agustín realmente no se había convertido al cristianismo, sino al neoplatonismo. Esta afirmación equívoca, hacía una lectura parcial y una hermenéutica preconcebida de los primeros escritos de san Agustín, olvidando lo que el mismo san Agustín afirma de sí mismo y de cómo interpreta su propia historia personal, pasando por alto muchas de las afirmaciones y de los textos explícitos e implícitos de los primeros escritos del doctor de Hipona. Todo esto no significa negar el influjo del neoplatonismo sobre san Agustín, simplemente se trata de matizar afirmaciones y poner cada cosa en su sitio, sabiendo que san Agustín, desde los primeros balbuceos de su conversión, vive un proceso cristiano, seducido por la figura de Cristo, el Dios que se ha encarnado por amor, y no una conversión puramente filosófica, neoplatónica, como propugnaba Plotino o Porfirio.

De este modo en la primera obra que conservamos escrita por san Agustín, el diálogo *Contra Academicos,* san Agustín cita explícitamente un primer texto paulino, haciéndonos ver la importancia que tuvo en su proceso de conversión el *corpus* paulino, muy posiblemente editado en un solo códice. La cita aparece dentro de una exhortación que san Agustín le hace a su mecenas Romaniano –a quien dedica la obra– a que persevere en la búsqueda de la sabiduría y dirige una oración a Cristo, quien es la fuerza de Dios y la sabiduría de Dios: "(...) de aquí mi temor por ti, de aquí mi deseo de liberarte, y para esto, todos los días (si soy digno de ser escuchado) no ceso de pedir por ti un viento próspero. Elevo mis peticiones a la misma y suprema fuerza y sabiduría de Dios, pues, ¿no es así como nos presentan al Hijo de Dios los misterios de nuestra fe?" (*Acad.* 2, 1, 2).

Un par de años después, hacia el 388-389, san Agustín volverá a este texto paulino para tomarlo como punto de partida de lo que para él será el vivir bien, el *bene vivere,* donde la felicidad consiste en amar a Cristo, pues Cristo es la fuerza[74] y la sabiduría

74. A pesar del doble sentido que la palabra *virtus* puede tener en latín, como virtud, o bien, como el conjunto de las fuerzas

de Dios: "Que nos diga el mismo Pablo quién es este Cristo Jesús, Señor nuestro: 'A los llamados, dice, les predicamos a Cristo, Fuerza de Dios y Sabiduría de Dios'" (*mor.* 1, 13, 22).

Cabe destacar que el texto paulino es citado por san Agustín –o más bien la pregunta retórica es dirigida a san Pablo– para saber quién es Cristo, es decir, para poder conocer su identidad. No se trata pues de un acercamiento meramente filosófico, sino que es una aproximación a quien es el Mediador, el Dios encarnado y Redentor. Por ello, acercarse a Cristo, es buscar vivir bien, es buscar la felicidad; en este texto san Agustín insiste en que la felicidad se encuentra en amar una tríada, formada por el binomio paulino del texto de 1Cor 1, 14, la fuerza-virtud y la sabiduría, a las que se une la autodefinición de Cristo en el Evangelio de Juan como la verdad (Jn 14, 6): "¿No dice Jesús mismo: 'Yo soy la verdad'? Si pues buscamos qué

---

físicas y morales características del hombre (Castiglioni-Marioti, Vocabolario Della Lingua Latina, Loescher, 1996, 1407; que es el sentido estrictamente paulino, pues el apóstol utiliza la palabra *dynamin*; la vulgata la traduce por *virtutem* en lugar de *vim*). San Agustín se inclina por el sentido de "fuerza", como queda claramente expresado, por citar sólo un texto, en el *De fide et Symbolo, 4 (CSEL 41 p. 8/11): qui «uirtus» etiam eius et «sapientia» dicitur, quia per ipsum operatus est et disposuit omnia. de quo propterea dicitur: «adtingit a fine usque ad finem fortiter, et disponit omnia suauiter»*, donde se establece un paralelismo bimembre entre *virtus* y *fortiter*, por una parte; y *sapientia* y *suauiter*, por otro lado. Con ello se destacaría una similitud semántica entre los términos puestos en relación. De esta manera, el término que ahora nos interesa, *virtus* compartiría una parte del campo semántico de *fortiter*.

es vivir bien, es decir, tender hacia la felicidad viviendo rectamente, esto será ciertamente amar a la virtud-fuerza, amar la sabiduría, amar la verdad, y amar con todo el corazón con toda el alma y con toda la mente la virtud-fuerza que es inviolable e invencible, la sabiduría a la que no sigue la estulticia, la verdad que no sabe transformarse y mostrarse de otra forma diversa de la que tiene siempre" (*mor*. 1, 13, 22).

Pero la reflexión agustiniana no se queda sólo en un plano filosófico para hablar de perfecciones divinas y de buscar vivir bien en una vida feliz, como era la meta de los filósofos eudemonistas. San Agustín lo va a concretar y va a darnos una conclusión de fuego a estas palabras posiblemente de sabor filosófico. Por ello san Agustín va a decir que nos adherimos a esta verdad, que es Cristo, por la santificación y una vez santificado, el ser humano debe arder en el amor de Dios, un amor que hace que el ser humano nunca más se separe de este Dios que es amor, el Dios que manifiesta su fuerza-virtud y sabiduría en Cristo: "A ésta (verdad) nos adherimos por la santificación. Una vez santificados ardemos en una caridad plena e íntegra, por medio de la cual, ella sola, hace que no nos alejemos de Dios y que nos conformemos con Él, más que con este mundo" (*mor*. 1, 13, 22).

Esta conclusión no puede dejar duda de la afirmación que hacíamos al principio, la conversión de san Agustín no son verdades filosóficas impersonales y frías, o bien, un sistema de pensamiento –si bien pueda utilizar sus esquemas o bien bautizarlos–, sino que su conversión es una conversión de amor a una persona, a la sabiduría que tiene un nombre, Cristo Jesús. Una sabiduría que resulta incomprensible para los paganos, quienes se burlan de la sabiduría humilde y sencilla de los cristianos. En este sentido apologético contra los paganos, que se burlan de la sabiduría de los cristianos, también utiliza san Agustín este texto paulino: "Y nosotros tampoco debemos inquietarnos de que algunos pocos paganos, de los que han quedado, se atrevan todavía a hacer ostentación de sus doctrinas fanfarronas, y a motejar a los cristianos de perfectos ignorantes, cuando estamos viendo que se cumplen en ellos las profecías" (*divin. daem.* 14).

Pero a pesar de las apariencias de ignorancia, sólo los cristianos son los que pueden alcanzar la verdadera sabiduría en Cristo. Todo esto puede parecer una locura a los ojos de los paganos, afirma san Agustín, pero es la manera que tiene Dios de manifestar su propia grandeza: "Por cierto que esa aparente ignorancia y, por así decir, locura de los cristianos es lo que se revela a los humildes, a los santos, a los que la estudian con amor, como la excelsa y única verdadera sabiduría; esa locura de los cristianos ha reducido a los paganos a una ínfima minoría" (*divin. daem.* 14).

Y es en este contexto en el que san Agustín inserta por extenso el texto de la carta a los Corintios (1Cor 1, 20-25), donde se afirma que Cristo es la fuerza de Dios y la sabiduría de Dios. Por ello san Agustín, de manera irónica invita a los paganos a que se sigan mofando y burlando de la docta ignorancia de los cristianos, pues no sólo los paganos van disminuyendo en número, sino que con sus burlas y sus actitudes contrarias a los cristianos, lo único que hacen los paganos es cumplir las mismas profecías de Dios, por lo que san Agustín se alegra grandemente: "¡Que se mofen, pues, en cuanto puedan de nuestra aparente ignorancia y locura, y que se vanaglorien de su doctrina y sabiduría! Yo sé que esos burlones nuestros son en este año menos que los que eran el año pasado (...) A nosotros en cambio nos hacen muy fuertes contra las afrentas y las burlas orgullosas los vaticinios de nuestro Dios, que vemos y tenemos la alegría en este punto de que se van cumpliendo" (*divin. daem.* 14).

Y no fue sólo en la lucha contra los paganos en la que utilizó san Agustín este texto. Será un texto utilizado también en la polémica contra los arrianos[75] y en las diferentes cuestiones trinitarias de todo género.[76] Sin embargo más allá de la utilización apologética o polémica de este texto, san Agustín va a señalar en otros escritos algunos otros detalles al abordar este texto. Primero la humildad. Sólo quien es humilde y llega a reconocer los cortos alcances de la propia búsqueda y del propio saber humano es quien puede llegar a conocer a Dios y a Jesucristo y encontrar en él la verdadera fuerza y sabiduría de Dios. San Agustín comenta que muchos filósofos

75. *Cfr. c. sermo. Arr.* 22; *conl. Max.* 14; *c. Max.* 1, 16.
76. *Trin.* 6, 1; 6, 2; 7, 1; 7, 2; 7, 4; 15, 31.

y pensadores, por su soberbia no llegan a aceptar a Cristo, pero que otros muchos, entraron por el camino de la fe en Cristo crucificado, quien es la verdadera sabiduría: "He aquí lo que no pudieron aceptar ciertos filósofos y oradores; seguían un camino no verdadero sino verosímil, y en él se engañaban a sí mismos y engañaban a los demás" (*ep.* 120, 16).

Y esta fe que es la fuerza y sabiduría de Dios exige también una certeza intelectual. La fe irá siempre acompañada para san Agustín por la razón, con ese binomio agustiniano de *Fides et Ratio,* en lo que algunos han llamado el círculo hermenéutico agustiniano, resumido en la conocida frase del sermón 43: *crede ut intelligas.* En la carta 120, san Agustín lo expresa así de manera lapidaria: "Y no sólo por la firmeza de la fe (los que eran filósofos paganos han llegado a creer), sino también por la certísima verdad de la inteligencia" (*ep.* 120, 1, 6).

Pero dentro de este grupo de filósofos paganos, algunos han llegado a creer, deponiendo la soberbia de la ciencia y aceptando la locura de la cruz, sabiendo que los primeros apóstoles, aunque eran unos simples pescadores, poseían de manera más excelsa esta divina sabiduría que es la de Dios: "Dentro de este camino, es decir, en la fe en Cristo crucificado, hay quienes han podido comprender la rectitud del mismo. Recibieron el nombre de filósofos u oradores, pero confesaron con humilde piedad que en dicho camino fueron mucho más eminentes que ellos los primeros pescadores" (*ep.* 120, 1, 16).

Este llegar a creer en quien es la fuerza y la sabiduría de Dios, exige en quien quiere pensar y razonar con fe, un proceso de conversión. De este modo hay un primer paso de reconocimiento de la inanidad y fragilidad de su propia ciencia; en segundo lugar es preciso pasar por un momento de confusión, para finalmente llegar al punto en el que se hacen humildes y débiles para poder ser sabios en Dios. Se trata de un bello itinerario de conversión intelectual y moral para los pensadores y quienes quieren razonar la fe: "Aprendieron que lo débil e inepto del mundo fue elegido cabalmente para confundir a lo fuerte y sabio. Conocieron que su sabiduría era falaz y su potencia endeble, y entonces se llenaron de saludable confusión y se hicieron necios y débiles, para llegar a ser con eficacia fuertes y con veracidad sabios" (*ep.* 120, 1, 6).

Y si Cristo es la sabiduría de Dios, las filosofías vanas de este mundo pueden ya guardar silencio, pues sólo en Cristo se encuentra la verdad, Cristo es el único mediador entre Dios y los hombres. Las filosofía y el pensamiento pagano había llegado a un grado alto de conocimiento, pero seguía existiendo una gran distancia entre las realidades superiores y las inferiores. Distancia que era superada a través de la adivinación, de la magia y de la teúrgia. San Agustín por ello en otro texto se refiere a Cristo mediador. Ante su figura de fuerza de Dios y sabiduría de Dios, y su papel de mediador, deben guardar silencio las falsas filosofías. Para señalar estas ideas, san Agustín se vale de una graciosa imagen. Los filósofos que han hablado de la verdad y han olvidado a Cristo, se asemejan a las ranas, que hacen mucho ruido pero que no dicen nada: "Vino Cristo el Señor, Sabiduría de Dios: ha tronado el cielo, cállense las ranas. Lo que dijo la verdad es verdad. Es manifiesto, como ella dijo, que el mal está anclado en la raza humana a causa del pecado. Mas quien crea en el mediador, puesto a mitad de camino entre Dios y los hombres (...) y viva santamente (...) encontrará descanso (...) y vivirá con Dios por toda la eternidad" (*s.* 240, 5).

Para san Agustín, son ranas también los donatistas, que croan diciendo: "Sólo nosotros somos cristianos" (*en. Ps.* 95, 11); ranas son también los maniqueos, que son ranas que croan diciendo que "todas estas cosas fueron en Cristo falsas y simuladas, son ranas que claman en un charco cenagoso. Pueden producir estrépito, pero no alumbrar la doctrina de la sabiduría" (*en. Ps.* 8, 5).

Algunos textos en los que san Agustín comenta 1Cor 1, 24

*Él fue escarnecido, abofeteado, escupido, coronado de espinas, crucificado, todas las cosas las hiciste en Él. Oigo, oigo lo que anuncias a los hombres de aquel tu soldado, lo que predicas a la gente de tu pregonero; que Cristo es el poder de Dios y la sabiduría de Dios. Se mofen los judíos de Cristo crucificado, porque es para ellos escándalo; se mofen los paganos de Cristo crucificado, porque es necedad para ellos. Pues así dice el apóstol: "Nosotros predicamos a Cristo crucificado, siendo escándalo para los judíos y locura para los gentiles, pero para los llamados judíos y griegos, Cristo es el poder de Dios y la Sabiduría de Dios. Hiciste todas las cosas en la sabiduría" (*en. Ps.* 103, 3, 26).

*Somos siervo y esclava. Dios es el Señor y Señora. ¿Qué quieren expresar estas palabras?, ¿qué significan estas semejanzas de cosas? Atienda vuestra caridad un poquito. No es de extrañar que seamos siervos y Él sea Señor, pero sí que nosotros seamos esclava y Él sea Señora. Mas no es de admirar que seamos esclava, pues somos Iglesia; ni tampoco que Él sea Señora, pues es sabiduría y fortaleza de Dios. Oye al apóstol que dice: "Nosotros predicamos a Cristo crucificado, escándalo para los judíos y locura para los gentiles; pero para los llamados judíos y griegos, Cristo es fuerza de Dios y sabiduría de Dios" (1Cor 1, 23-24). Luego para que el pueblo sea siervo y la Iglesia esclava, Cristo es fortaleza de Dios y sabiduría de Dios. Ambas cosas las oísteis al escuchar: "Cristo es la fortaleza de Dios y la sabiduría de Dios. Cuando oyes la palabra Cristo, eleva tus ojos a las manos de tu Señor; cuando oyes las palabras fortaleza y sabiduría de Dios, eleva tus ojos a las manos de tu Señora. Eres siervo y esclava; siervo porque eres pueblo, y esclava porque eres Iglesia" (*en. Ps.* 122, 5).

*Te encuentras entre aquellos que confían en su virtud; entre aquellos que ponen su esperanza en el hombre. Te agrada la virtud; buena cosa es lo que te agrada. Sé que tienes sed, pero no puede hacer manar para ti la virtud. Estás seco; si te mostrara la fuente de la vida, quizá te reirías. Dices para ti: "¿De esa roca he de beber?" La toca la vara y mana agua. Los judíos piden señales; pero tú, estoico, no eres judío. Lo sé; eres griego. Y los griegos buscan sabiduría. Nosotros en cambio, predicamos a Cristo crucificado. El judío se escandaliza, y el griego se burla. Para los judíos, en efecto, es un escándalo y para los griegos una locura, pero para los llamados judíos o griegos, esto es, para Pablo –antes Saulo–, (...) Cristo es el poder y la sabiduría de Dios. Ya no te mofas de la roca; reconoces en la vara la cruz y en la fuente a Cristo, y si sientes sed bebe la virtud. Llénate en la fuente, eructarás tal vez acciones de gracias; lo que tienes que procede de él ya no te lo atribuirás a ti, sino que eructando exclamarás: "Te amaré, Señor, mi virtud" (salmo 17, 2) (*s.* 150, 9).

Para tu reflexión personal

–San Agustín constata en sus escritos que todo hombre busca la felicidad. Sin embargo muchos no alcanzan esta felicidad porque no la buscan donde se halla, en el conocimiento y amor de Dios, que hace al hombre sabio y feliz. ¿En qué lugar te encuentras en este camino de la búsqueda de la felicidad?

–En un mundo tecnificado es preciso ser capaces de dar razón de nuestra fe y de mostrar que la fe no es algo irracional o ilógico, sino que tiene su propia lógica y sus razones, pues Cristo es la sabiduría de Dios. ¿Crees que podrías dar este testimonio de Dios?, ¿qué es lo que faltaría?

–En un mundo lleno de opiniones y de "verdades a medias" pregonadas a todos los vientos (o de "ranas" como diría san Agustín). ¿Te dejas arrastrar por las ideas de moda, por lo que opina la mayoría o, más bien, tienes claros y firmes los principios cristianos y según éstos riges tu vida, independientemente de lo que puedan decir los que no tienen fe?

–¿Has descubierto verdaderamente en Cristo a tu Salvador, a aquel que te libera de tus pecados y de la muerte o, más bien, tienes otros "salvadores" y "mediadores" a los que recurres?

"Lo que en él se hizo el tercer día, se hará en nosotros al fin del mundo. Queda aplazada la esperanza de nuestra resurrección, pero no suprimida" (*en. Ps.* 34, 2, 1).

DIOS AMA AL QUE DA CON ALEGRÍA (O CÓMO PEDIR DINERO PARA CONSTRUIR UNA IGLESIA)

2Cor 9, 7 / *s.* 107 A (*s. Lambot* 5);
en. Ps. 42, 8; *en. Ps.* 91, 5; *s.* 331, 4

"Cada cual dé según el dictamen de su corazón, no de mala gana ni forzado, pues: Dios ama al que da con alegría" (2Cor 9, 7).

San Agustín es el santo que nos invita a seguir el camino cristiano con alegría. Su espiritualidad no está marcada por la tristeza o bien por el pesimismo, sino todo lo contrario, está impregnada de alegría, júbilo y optimismo. Cuando san Agustín se encuentra con el texto de 2Cor 9, 7, donde san Pablo invita a los habitantes de Corinto a que den con alegría a favor de los pobres de Jerusalén, se da cuenta de la profundidad e importancia que tiene el texto y él también lo utilizará, como san Pablo para los momentos en los que era preciso pedir a los fieles –o bien a los religiosos– que dieran dinero o limosnas a los pobres, o bien, en el caso de los religiosos, que se dieran a sí mismos, con generosidad y alegría.

El primer caso queda patente en la construcción de una Iglesia en un lugar que hoy desconocemos. San Agustín, como hacen hoy también nuestros pastores de almas, tiene que pedir dinero a los fieles para la edificación de la iglesia. Sin embargo el pueblo en el que predica el obispo de Hipona, es pobre. Por ello san Agustín se tiene que esforzar para poder hacer que esa población, aunque sea pobre, se involucre en la construcción de su Iglesia y dé lo que pueda, pero sobre todo que lo haga con alegría. Así, como buen orador, san Agustín comienza constatando la situación del pueblo para que no le digan que al pedir dinero para la construcción de la Iglesia, ignora la situación económica del pueblo. Y junto con la constatación hace una alabanza, como una hábil *captatio benevolentiae*: "Sois pobres y, no obstante, construís la Iglesia. ¿De dónde procede esto siendo pobres, sino de que sois ricos en el alma?" (*s.* 107 A*; s. Lambot* 5).

A continuación va a citar el texto paulino invitando a dar con alegría, pues el que da con tristeza, no sólo pierde aquello que dio sino que pierde también, de alguna manera, el mérito que hay en el dar, pues la tristeza deja siempre un pozo oscuro en el alma que impide vivir con el gozo y la alegría propia del desprendimiento y la generosidad: "Trabajad, pues, con la ayuda del Señor, para que podáis llevarla a cabo, ya que Dios ama al que da con alegría. Cuando das de buena gana, se te imputa como dádiva. En cambio cuando das con tristeza, nada tienes fuera, y en tu interior, donde reside la tristeza, hay angustias. Entonces perece el dinero y aquello queda sin comprar, porque es la buena voluntad la que lo compra. Des poco o des mucho, ten buena voluntad y la has comprado ya" (*s.* 107 A; *s. Lambot* 5).

Y esta alegría al dar, repercute en el bien de aquellos que dan. San Agustín, prolongando la exégesis del texto de san Pablo, les invita no sólo a que den con alegría, sino a que se den cuenta de que la Iglesia que se está construyendo va a ser para ellos mismos; que no es como cuando se les pide dinero para los pobres, que vienen y van, sino que será para algo duradero. Es casi seguro que cuando los fieles escucharon estas palabras de san Agustín, echaron la mano al bolsillo, los más generosos para sacar el dinero, los tacaños para hacer como que sacaban la cartera y sólo sacar el pañuelo: "Cuando con el favor de Dios edificáis la Iglesia, para vosotros la edificáis. Cosa distinta es lo que das a los pobres. Pasan unos y vienen otros. La Iglesia en cambio la edificáis para vosotros. Es la casa en la que hacéis vuestras oraciones, en que os congregáis, donde celebráis los oficios divinos, donde cantáis himnos y alabanzas divinas, donde oráis, donde recibís los sacramentos. Veis que es la casa en que hacéis vuestras oraciones" (*s.* 107 A; *s. Lambot* 5).

Sin embargo, san Agustín no puede terminar su sermón sólo aludiendo a las actividades que se desarrollan dentro de la Iglesia como una última exhortación a dar dinero para la edificación del edificio. Termina su reflexión, apelando a un elemento espiritual muy querido para san Agustín y repetido en sus diversos sermones en los que le tocó predicar en la consagración de iglesias, el tema de que el cristiano es templo vivo de Dios, y que los edificios, construidos o por construir, sólo son un símbolo de lo que debe ser cada creyente, la casa y el templo de Dios, donde Dios habite en el interior y donde la persona continuamente entre en su santuario íntimo para alabar y adorar al Dios que lo inhabita:[77] "Veis que es la casa en que hacéis vuestras oraciones. ¿Queréis construirla? Sed vosotros casa de Dios y quedará construida" (*s.* 107 A; *s. Lambot* 5).

Sin embargo el texto de san Pablo de 2Cor 9, 7 no es sólo usado en el contexto de la construcción de Iglesias, sino también en el momento de pedir la generosidad de sus fieles de cara a los pobres. Comienza contando que en ocasiones es difícil ser generoso y que en muchos casos se da la limosna de mala gana, como para evitarse la molestia de los pobres. Por ello san Agustín invita en primer lugar, a dar con alegría, pues cuando se da con alegría no sólo se hace realidad lo que dice la Sagrada Escritura a través de san Pablo en la cita que estamos comentando (2Cor, 9, 7), sino que también se gana lo que se ha

77. *Cfr. s.* 94, *s.* 336, *s.* 337 y *s.* 338. "La casa de nuestras oraciones es esta misma; la casa de Dios somos nosotros mismos. Si la casa de Dios somos nosotros mismos, nosotros somos edificados durante esta era para ser dedicados al final de la era" *s.* 337, 1.

dado, pues se obtiene asimismo una recompensa de parte de Dios. En segundo lugar san Agustín invita a tomar consciencia de que cuando se da, al que se está dando es al mismo Señor, quien se hace presente en la persona del pobre para decir "¡Aquí estoy!": "porque la mayoría de las veces se da refunfuñando y con tristeza, para evitar más bien las molestias del que pide que para calmar el hambre del necesitado; pero Dios ama al que da con alegría. Si das el pan entristeciéndote, pierdes el pan y la recompensa. Luego dalo con buen ánimo, para que Aquel que ve dentro, aún estando hablando tú, diga: 'Aquí estoy'" (*en. Ps.* 42, 8).

Pero san Agustín en su comentario de este texto paulino en la aplicación que hace a la ayuda a los pobres y a la limosna, va a ir todavía más allá. No sólo es al mismo Señor a quien se socorre con la limosna, sino que también las oraciones de los fieles pueden volar mejor hacia Dios, como si fueran un ave, cuando tienen dos alas: las alas del ayuno y de la limosna. Se trata de un hermoso final a la exhortación a dar a los pobres y a dar con gozo y alegría, pues no sólo Dios recompensa al que da, sino que también la generosidad y la limosna hacen que las oraciones de los justos puedan llegar con mayor facilidad a Dios: "¡Con qué celeridad se reciben en el cielo las oraciones de los que obran bien! Y esta bondad del hombre en la vida presente es el ayuno, la limosna, la plegaria ¿Quieres que tu oración vuele a Dios? Dótala de dos alas: del ayuno y de la limosna" (*en. Ps.* 42, 8).

Es preciso no sólo dar con alegría, sino también hacer las cosas con alegría. De este modo san Agustín comenta que los judíos igualmente tienen el salterio de diez cuerdas, es decir, también poseen los diez mandamientos. Sin embargo los judíos no tocan el salterio, no actúan y no sólo no actúan sino que poseen los mandamientos con tristeza: "En el salterio de diez cuerdas están representados los diez preceptos de la ley. Pero es necesario cantar con él, no llevarle únicamente; pues los judíos tienen la ley; llevan por tanto, el salterio, pero no lo tocan. ¿Quiénes lo tocan? Los que obran. Pero esto es poco, porque quienes obran con tristeza no lo tocan. ¿Quiénes son los que lo tocan? Los que obran bien con alegría" (*en. Ps.* 91, 5).

Después san Agustín nos da un consejo muy propio, el de hacer todo con alegría y con júbilo. La alegría propia del que se sabe amado por Dios, el júbilo del que tiene consciencia plena de que sus obras están siempre delante de Dios, quien se convertirá en el mejor pagador de las buenas acciones del creyente. Por ello dice san Agustín que es preciso tocar el salterio y cantar, y hacerlo con alegría: "El júbilo es propio del canto; pues ¿qué dice el Apóstol? Dios ama al dador alegre. Cuanto hagas, hazlo con regocijo; entonces obras el bien y por cierto lo haces bien. Si obras con tristeza, no obras tú, sino que se obra en ti, y por tanto transportas el salterio que cantas" (*en. Ps.* 91, 5).

Es de gran valor la frase agustiniana, *quidquid facis, cum hilaritate fac,* sea lo que sea lo que hagas, hazlo con alegría. Podría ser un excelente lema para la vida del creyente, quien debe actuar en todas las circunstancias de su vida movido por el gozo y la alegría, y hacer vida y realidad la frase paulina, de que Dios ama al que da –y se da a sí mismo– con alegría. Sin embargo, una vez más el comentario de san Agustín a las palabras paulinas no se queda aquí, sino que todavía nos invita a hacer una ulterior reflexión. Es preciso hacerlo todo con alegría, pero no bastan sólo las palabras, ni tampoco las obras, es preciso hablar, es decir, dar testimonio con las palabras y actuar, es decir, manifestar con las propias obras la alegría de vivir como cristianos, esto es para san Agustín tocar la cítara (actuar) y cantar (dar testimonio con las palabras): "En el salterio de diez cuerdas con cántico en la cítara, esto es, con la palabra y con la obra. Con cántico significa con la palabra, y con la cítara, con la obra. Si pronuncias sólo palabras, únicamente tienes el cántico, pero te falta la cítara; si obras y callas, tendrás sólo cítara. Por tanto, si quieres tener cántico con cítara, habla bien y obra bien" (*en. Ps*. 91, 6).

Es preciso, pues, dar con alegría. Pero no siempre se trata de dar cosas materiales, sino en muchos casos cosas invisibles, inmateriales, o bien, dar o prestar un servicio espiritual, como le puede suceder al que milita al servicio de Dios, quien ha recibido el encargo de administrar los misterios de Dios y de anunciar la Palabra, o incluso al mismo catequista que instruye a los fieles, a éste también san Agustín le recomienda que haga su labor y transmita los contenidos de la fe con *hilaritas*, es decir, con alegría (*cat. rud.* 4).

Sin embargo para poderse encontrar en situación de dar a los demás y de ser un buen administrador de los bienes de Dios y, como dice san Pablo, hacerlo con alegría, el siervo de Dios necesita estar atento en primer lugar a dos grandes escollos donde muchos tropiezan y con ello se incapacitan para dar; y al no dar, su vida no sólo no conoce la alegría verdadera, sino que se vuelve una realidad donde prima la frustración, el cansancio y la depresión. Narciso nunca podrá encontrar la felicidad, porque la felicidad será siempre una realidad plural, no estrictamente personal. Estos grandes peligros son la ociosidad y la desidia, que entorpecen el camino de la alegría y del encuentro con Dios y los hermanos; ambas envilecen a la persona: "(El siervo de Dios) en medio de las cosas del mundo, se aplicará a adquirir bienes, no carnales, sino espirituales; sin sentirse atado por negocios seculares, pero, dado que milita al servicio de Dios sin verse entorpecido ni envilecido por la ociosidad y desidia" (*s.* 331, 4).

Por ello san Agustín invita al siervo de Dios a que, si tiene, que dé las limosnas con alegría y que si no tiene con qué dar limosnas que dé lo que le ha sido encomendado, es decir, su servicio pastoral y espiritual, sirviendo y dispensando particularmente el pan celestial, es decir, el sacramento admirable del cuerpo y de la sangre del Señor pero que lo dé con alegría. Para ello san Agustín utiliza una imagen bélica. El pastor de almas con su labor, con la distribución del pan eucarístico y predicación, construye campamentos y murallas en torno a las almas de los fieles para que el pecado y Satanás no los venzan ni los hagan caer: "Si tiene posibilidad, dé sus limosnas con alegría, tanto si ofrece algo para las necesidades corporales de los pobres, como si, en cuanto dispensador del pan celeste, levanta campamentos inexpugnables en los corazones de los fieles contra el diablo. Pues Dios ama al que da con alegría" (*s.* 331, 4).

Y en este camino del dar y del darse, el siervo de Dios debe afrontar varios peligros que san Agustín enumera con claridad, con la invitación a que el pastor esté atento para evitar caer, bien sea por el tedio y el cansancio, o bien por el enfado ante la molesta insistencia de los pobres, por la falta de consideración de quienes lo solicitan, o bien por la frustración ante quien no acepta sus palabras: "No le quiebre el tedio en las dificultades que necesariamente han de existir, para recordar al hombre que es hombre. No le deslice la ira contra quien le ataca con odio o quien, forzado por la necesidad, le pide a destiempo; o quien sin consideración te suplica que le ayudes en un asunto suyo, cuando tú estás ocupado en otro más importante; o bien quien resiste con su palabra a la justicia" (*s.* 33, 4).

Es preciso dar con alegría en todas las circunstancias, pero la regla de oro que san Agustín da a todo pastor es la prudencia, buena compañera de la alegría. Hacer y dar en cada caso lo que conviene, ni más ni menos: "No dé más ni menos de lo que conviene; no hable más de lo preciso ni cuando no es necesario" (*s.* 331, 4).

Ante todo es preciso perseverar en el dar con alegría, incluso cuando el pastor de almas se encuentre en una tierra seca, árida, que no lo acoge, o bien que no acoge el mensaje que Dios le ha enviado a comunicar. Estas personas son como polvo que se ha adherido a los pies del mensajero; un polvo que será sacudido en perjuicio de quienes lo despreciaron en el día del juicio final: "Pues preciosos son los que anuncian la paz, los que anuncian el bien. Con todo, de la tierra seca acumulan polvo, que ciertamente será sacudido para condenación de aquellos que con perversa voluntad desprecian lo que se les ha mostrado" (*s.* 331, 4).

Así pues, Dios ama al que da con alegría, pues sólo desde la alegría se puede vivir una auténtica vida cristiana, sabiendo, como dicen los Hechos de los Apóstoles por boca de san Pablo –quien cita una frase de Jesús que no está recogida en ninguno de los evangelios canónicos pero que sí refleja su contenido y mensaje– que hay más felicidad en dar que en recibir (Hch 20, 35).

Un relato de san Agustín

A propósito de este texto paulino, san Agustín en el sermón 107 A (*s. Lambot* 5) nos ofrece un relato en el que nos invita a la generosidad y a ser conscientes de la fugacidad de los bienes presentes:

Aconteció aquí algo gratísimo y he de narrarlo a vuestra caridad. Cierto hombre piadoso, ni rico ni pobre, vendió una moneda de oro para las necesidades de la casa. Como era piadoso, tomó del total del precio cien monedas de bronce de escaso valor y las dio a los pobres pensando en dejar lo restante en casa para hacer frente a las necesidades. Para ser probado. Se le introdujo un ladrón y perdió todo el valor de su moneda de oro. A ello contribuyó el diablo para que se arrepintiese de haber dado algo a los pobres y dijese: "¡Oh Señor, a ti sólo te agradan los malhechores! Los hombres que obran inicuamente consiguen bienes, y yo que hice el bien lo perdí todo". Pero no lo dijo. Era hombre recto y aun tras darle vueltas permaneció estable. Habiendo perdido todo el precio de su moneda de oro de la que había dado a los pobres cien monedas de bronce de escaso valor, dijo: "¡Desdichado de mí que no lo di todo a los pobres. Lo que di no lo perdí; sólo perdí lo que no di!" Recordó lo que oyó o leyó en el evangelio y lo creyó. Este mismo es el consejo de Jesucristo nuestro Señor. Recordadlo y vedlo: "No atesoréis para vosotros tesoros en la tierra, donde la polilla y el orín los destruyen en donde los ladrones abren brecha y los roban. Atesorad más bien un tesoro en el cielo, donde el ladrón no tiene acceso, ni la polilla lo consume. Pues donde se halle tu tesoro, allí estará también tu corazón. El ladrón pudo arrebatarle el dinero, pero no pudo quitarle el tesoro que tenía en el cielo" (*s*. 107 A; *s*. *Lambot* 5).

Para tu reflexión personal

–¿Cuando tienes que dar algo (tu tiempo, tu ayuda, tu dinero) lo haces con alegría, sabiendo que con ello aumenta tu tesoro en los cielos, o lo haces por costumbre, por rutina y con tristeza?

–La alegría es un fruto del Espíritu importante en la vida de todo cristiano, ¿cuánta alegría verdadera hay en tu vida? ¿Qué podrías hacer para aumentarla?

–Cuando haces oración, ¿recuerdas el consejo de san Agustín de ponerle dos alas para que pueda volar a Dios, las alas de la limosna: dad con alegría y la del ayuno?

–¿Te desanimas ante el poco éxito de tus trabajos y empeños y esto te lleva a realizarlos con rutina y cansancio, o más bien lo haces todo con alegría y prontitud, sabiendo que hagas lo que hagas, es preciso hacerlo todo en el nombre del Señor Jesús?

"Cuanto hagas, hazlo con alegría" (*en. Ps.* 91, 5).

ÍNDICE

Se terminó de imprimir en los talleres de
EDICIONES PAULINAS, S.A. DE C.V.
Calz. Taxqueña, núm. 1792, Deleg. Coyoacán,
04250, México, D.F., en febrero de 2017.
El tiro consta de 1,000 ejemplares
impresos más sobrantes para reposición.